RUMORES DE MAR

Narrativa Breve

COLECCIÓN NARRATIVA BREVE
Directores: Viviana Paletta y Javier Sáez de Ibarra

ILUSTRACIONES
Portada y portadillas de Gustave Doré
Cornisas y contraportada de Silvia Bautista

Visite nuestro fondo editorial en www.ppespuma.com

Primera edición: mayo de 2000

ISBN: 84-931243-2-X
Depósito legal: M-19289-2000

© Del prólogo, José María Merino, 2000
© De las narraciones, todos los derechos reservados, 2000
© De esta portada, maqueta, ilustraciones y edición,
Editorial Páginas de Espuma, S. L., 2000
c/Madera 3, 1° izq. 28004 Madrid
Fax: 915 524 948 E-mail: ppespuma@arrakis.es

Impreso en España, CEE. Printed in Spain.

Composición: equipo editorial
Impresión: Omagraf, S. L.

RUMORES DE MAR

Prólogo de José María Merino

*Selección de Viviana Paletta
y Javier Sáez de Ibarra*

PÁGINAS DE ESPUMA

EL CUENTO DEL MAR

Símbolo del círculo de lo existente desde su inicio hasta su final, fuente primordial de lo vivo, destino de lo que muere, no es raro que del mar hayan surgido tantos mitos de creación, ni tampoco que sea uno de los territorios nucleares de la inventiva literaria. El mar es el camino de los secretos y de las revelaciones, un escenario muy adecuado para las pasiones y los enfrentamientos morales. El reino desconocido, la isla desierta, la playa que acoge al náufrago, los países remotos que guardan tesoros y espantos, resultan espacios fundamentales de la narrativa de ficción.

El mar siempre ha guardado la atracción de lo misterioso, esperanzas de riqueza y de cambio, amenazas de horror. Parece que, en la intuición de los antiguos, sólo en la lejanía, separados por los impredecibles rumbos del océano, podían conservarse ciertos aspectos de lo extraño o singular. La idea de que, más allá de los mares, existen unas islas afortunadas, las islas de los Bienaventurados, está inscrita en la más an-

cestral ilusión humana, y a esa estirpe pertenecen sin duda última Tule y la isla de San Borondón, que al parecer puede atisbarse todavía, aunque en raras ocasiones, desde algún punto de las islas que modernamente llamamos Canarias.

En el viaje de Odiseo cruzando el mar para volver a casa, originario de tantas de nuestras ficciones, tuvieron forma algunos lugares arquetípicos que, con diversas apariencias, siguen filtrándose en las corrientes profundas de la creación literaria: Eea, donde reina Circe, Escila y Caribdis, la isla de los lotófagos, las de las temibles sirenas, la de los de no menos temibles cíclopes. No por casualidad la Atlántida es una gran isla, y aunque el primero en hablar de ella fuese Platón, también la mencionó Plinio el Viejo, y hasta incorporó al repertorio de lugares inquietantes y perdidos en el inescrutable océano Melita, patria de un arbusto que parece humano. Luciano de Samosata, en sus Relatos verídicos, habla de países allende los mares en que las vides dan leche en lugar de mosto, de otros en que habitan mujeres antropófagas con patas equinas, de una isla de corcho cuyos habitantes tienen también los pies de corcho, y hasta de otra en que corre vino, y no agua, por los cauces de los ríos.

Con el paso de los años, la atribución de personajes y condiciones fabulosas a lugares remotos y perdidos de que el mar nos separa seguirán vigentes, desde John de Mandeville a los conquistadores españoles, que esperaban encontrar los reinos de donde el rey Salomón trajo sus riquezas, o aquel famoso país de Bímini, en que mana perpetua la fuente de la eterna juventud. Al mismo sueño de maravillas corresponden los lugares que Simbad el Marino, en réplica árabe de las aventuras de Odiseo, conoce a lo largo de sus viajes: la comarca donde vive el Pájaro Roc, la del Ámbar Gris, aquella otra a la que salen a procrear los caballos que viven en el fondo del océano, la isla del alcanfor o la que alberga al peligroso Viejo del Mar.

La figuración de las islas como espacios adecuados a lo portentoso encontrará en Rabelais un verdadero cultivador, y Pantagruel cruzará los mares viajando por la isla Sonante, cuyos habitantes se convirtieron en pájaros, y por aquella en que nacían y florecían las herramientas, y por la de Cassade, malsana y dada al juego, y por la de Taquilla, donde habitan los Gatos Forrados, comedores de niños, y la de Entelequia, donde se curan las enfermedades con canciones, y muchas más, cada una tan portentosa al menos como la anterior.

Las islas fabulosas de Rabelais pertenecen a ese territorio de sociedades imaginarias que inició la Atlántida, y que tan fértil será a la hora de establecer determinadas utopías, como la epónima de Tomás Moro, o Bensalem, fruto de los sueños de Francis Bacon, cuyos ecos llegan a las islas por las que viaja el patafísico doctor Faustroll que inventó Alfred Jarry, o a esa isla descrita por William Golding, en que unos niños náufragos replican el surgimiento de la cultura humana bajo la presidencia del Señor de las moscas. Y en esa estela estarían las islas que fue conociendo en sus trabajosos viajes a través de los mares el doctor Lemuel Gulliver, algunas capaces de sostenerse en el aire.

Desde su lóbrega vicaría de los páramos, las Brönte, con su hermano Branwell, soñaron las islas caballerescas de Gondal y Gaaldine, con sus paladines, y hasta fabricaron los libros diminutos en que se narraban aquellas hazañas. Perdidas en el mar, las islas como espacios exaltadores de la imaginación son innumerables, y a las citadas es obligado añadir La isla del tesoro, donde Jim Hawkins aprendió tantas cosas, y aquella Isla de coral a la que fueron a parar tres marineros casi adolescentes, y la «isla de Jackson» en que Tom Sawyer y Huckleberry Finn, convirtiendo el Mississippi en un mar de novela, decidieron hacerse piratas, y la Isla a mediodía, que esperaba como una meta al sobrecargo Marini.

A veces, la isla es el lugar más apropiado para la investigación científica. Una isla volcánica es el refugio del maravilloso Nautilus, obra del misántropo Nemo, y en una isla imaginará el doctor Rossum los primeros especímenes de R.O.B.O.T., como una isla será el escenario de los atroces experimentos del doctor Moureau. Conviene añadir que en una isla inventó un tal Morel un sistema maravilloso para conservar en imágenes la ilusión de la vida.

El mar es el escenario óptimo de la aventura, y como tal pasa a las ficciones más populares en cada época, en la imaginería de lugares y circunstancias extraordinarias. Amadís de Gaula matará en la ínsula del Diablo al En-

driago, fruto de los amores incestuosos del gigante Bandeguido y su hija. Y la ínsula de la Infanta, y la de la Torre Bermeja, conocerán otras aventuras del invencible caballero. Desde una isla provoca naufragios el duque Próspero en La tempestad, *y el mar será el decorado dramático principal de* Los trabajos de Persiles y Sigismunda.*

Que el imaginador de Gulliver y sus aventuras tenía capacidad para extraer del mar hermosas fábulas lo demuestra la historia de Robinson Crusoe, que hubo de naufragar para encontrarse a sí mismo y reproducir con su esfuerzo el mito de la creación. Robinson mostraría en su historia un aspecto inolvidable del mar como espacio moral de la literatura. También el capitán Ahab desarrollará en el mar su delirante persecución de un símbolo escurridizo, y en el mar, favorecidos por el apartamiento y la incomunicación, ejercerán su poder brutal y cumplirán sus correrías los aventureros, capitanes, piratas y vagabundos de distinto pelaje, ético y literario, de London, Salgari, Verne, Conrad o Baroja, y protagonizará pavorosos hallazgos, que sólo puede comunicar mediante un manuscrito encerrado en una botella, el personaje sin nombre de Edgar Allan Poe.

Acaso en la imagen inabarcable y en la insumisión vigorosa y permanente del mar ha encontrado la imaginación literaria un espacio incontaminado y virginal, donde es posible hacer que exista lo que nunca antes tuvo lugar en el mundo. Mas, por encima de todo ello, si la narración se caracteriza por el movimiento, resulta que el mar es, en sí mismo, pura narración, cambiante e ininterrumpida. El mar es un cuento que nunca concluye.

JOSÉ MARÍA MERINO

Naves que parten

Monotonía de la inmensidad de agua, que cambia cada instante, permaneciendo la misma: los colores de los cristales del Océano son ya más oscuros, más brillantes, más transparentes; mas siempre es el terno espectáculo de esta divinidad visible y móvil que llega a fatigar con su aspecto vasto e invariable. Apenas las fiestas del sol cambian, con sus decoraciones inauditas y sus rompimientos de oro y de piedras preciosas, la visión fatigante y el corazón de la máquina ritma, también monótonamente, el paso del barco sobre las olas; y en ninguna parte como en medio de esta inmensa monotonía se despiertan en el espíritu dos misteriosos dones del alma: El recuerdo y la esperanza.

Rubén Darío, Monotonía del mar

ESBJERG, EN LA COSTA

Juan Carlos Onetti

Menos mal que la tarde se ha hecho menos fría y a veces el sol, aguado, ilumina las calles y las paredes; porque a esta hora deben estar caminando en Puerto Nuevo, junto al barco o haciendo tiempo de un muelle a otro, del quiosco de la Prefectura al quiosco de los sandwiches. Kirsten, corpulenta, sin tacos, un sombrero aplastado en su pelo amarillo; y él, Montes, bajo, aburrido y nervioso, espiando la cara de la mujer, aprendiendo sin saberlo nombres de barcos, siguiendo distraído las maniobras con los cabos.

Me lo imagino pasándose los dientes por el bigote mientras pesa sus ganas de empujar el cuerpo campesino de la mujer, engordado en la ciudad y el ocio, y hacerlo caer en esa faja de agua, entre la piedra mojada y el hierro negro de los buques donde hay ruido de hervor y escasea el espacio para que uno pueda sostenerse a

flote. Sé que están allí porque Kirsten vino hoy a mediodía a buscar a Montes a la oficina y los vi irse caminando hacia Retiro, y porque ella vino con su cara de lluvia; una cara de estatua en invierno, cara de alguien que se quedó dormido y no cerró los ojos bajo la lluvia. Kirsten es gruesa, pecosa, endurecida; tal vez tenga ya olor a bodega, a red de pescadores; tal vez llegará a tener el olor inmóvil de establo y de crema que imagino debe haber en su país.

Pero otras veces tienen que ir al muelle a medianoche o al amanecer, y pienso que cuando las bocinas de los barcos le permiten a Montes oír cómo avanza ella en las piedras, arrastrando sus zapatos de varón, el pobre diablo debe sentir que se va metiendo en la noche del brazo de la desgracia. Aquí en el diario están los anuncios de las salidas de barcos en este mes, y juraría que puedo verlo a Montes soportando la inmovilidad desde que el buque da el bocinazo y empieza a moverse hasta que está tan chico que no vale la pena seguir mirando; moviendo a veces los ojos –para preguntar y preguntar, sin entender nunca, sin que le contesten– hacia la cara carnosa de la mujer que habrá de estar aquietándose, contraída durante pedazos de hora, triste y fría como si le lloviese en el sueño y hubiese olvidado cerrar los ojos, muy grandes, casi lindos, teñidos con el color que tiene el agua del río en los días en que el barro no está revuelto.

Conocí la historia, sin entenderla bien, la misma mañana en que Montes vino a contarme que había tra-

tado de robarme, que me había escondido muchas jugadas del domingo para bancarlas él, y que ahora no podía pagar lo que le habían ganado. No me importaba saber por qué lo había hecho, pero él estaba enfurecido por la necesidad de decirlo, y tuve que escucharlo mientras pensaba en la suerte, tan amiga de sus amigos, y sólo de ellos, y sobre todo para no enojarme, que, al fin de cuentas si aquel imbécil no hubiese tratado de robarme, los tres mil pesos tendrían que salir de mi bolsillo. Lo insulté hasta que no pude encontrar nuevas palabras y usé todas las maneras de humillarlo que se me ocurrieron hasta que quedó indudable que él era un pobre hombre, un sucio amigo, un canalla y un ladrón; y también resultó indudable que él estaba de acuerdo, que no tenía inconvenientes en reconocerlo delante de cualquiera si alguna vez yo tenía el capricho de ordenarle hacerlo. Y también desde aquel lunes quedó establecido que cada vez que yo insinuara que él era un canalla, indirectamente, mezclando la alusión en cualquier charla, estando nosotros en cualquier circunstancia, él habría de comprender al instante el sentido de mis palabras y hacerme saber con una sonrisa corta, moviendo apenas hacia un lado el bigote, que me había entendido y que yo tenía razón. No lo convinimos con palabras, pero así sucede desde entonces. Pagué los tres mil pesos sin decirle nada, y lo tuve una semanas sin saber si me resolvería a ayudarlo o a perseguirlo; después lo llamé y le dije que sí, que aceptaba la propuesta y que podía em-

pezar a trabajar en mi oficina por doscientos pesos mensuales que no cobraría. Y en poco más de un año, menos de un año y medio, habría pagado lo que debía y estaría libre para irse a buscar una cuerda para colgarse. Claro que no trabaja para mí; yo no podía usar a Montes para nada desde que era imposible que siguiese atendiendo las jugadas de carreras. Tengo esta oficina de remates y comisiones para estar más tranquilo, poder recibir gente y usar los teléfonos. Así que él empezó a trabajar con Serrano, que es mi socio en algunas cosas y tiene el escritorio junto al mío. Serrano le paga el sueldo, o me lo paga a mí, y lo tiene todo el día de la aduana a los depósitos, de una punta a otra de la ciudad. A mí no me convenía que nadie supiese que un empleado mío no era tan seguro como una ventanilla del hipódromo; así que nadie lo sabe.

Creo que me contó la historia, o casi toda, el primer día, el lunes, cuando vino a verme encogido como un perro, con la cara verde y un brillo de sudor enfriado, repugnante, en la frente y a los lados de la nariz. Me debe haber contado el resto de las cosas después, en las pocas veces que hablamos.

Empezó junto con el invierno, con esos primeros fríos secos que nos hacen pensar a todos, sin damos cuenta de lo que estamos pensando, que el aire fresco y limpio es un aire de buenos negocios, de escapadas con los amigos, de proyectos enérgicos; un aire lujoso, tal vez sea esto. Él, Montes, volvió a su casa en un ano-

checer de ésos y encontró a la mujer sentada al lado de la cocina de hierro y mirando el fuego que ardía adentro. No veo la importancia de esto; pero él lo contó así y lo estuvo repitiendo. Ella estaba triste y no quiso decir por qué, y siguió triste, sin ganas de hablar, aquella noche y durante una semana más. Kirsten es gorda, pesada y debe tener una piel muy hermosa. Estaba triste y no quería decirle qué le pasaba. «No tengo nada», decía como dicen todas las mujeres en todos los países. Después se dedicó a llenar la casa con fotografías de Dinamarca, del Rey, los ministros, los paisajes con vacas y montañas o como sean. Seguía diciendo que no le pasaba nada, y el imbécil de Montes imaginaba una cosa y otra sin acertar nunca. Después empezaron a llegar cartas de Dinamarca; él no entendía una palabra y ella le explicó que había escrito a unos parientes lejanos y ahora llegaban las respuestas, aunque las noticias no eran muy buenas. Él dijo en broma que ella quería irse, y Kirsten lo negó. Y aquella noche o en otra muy próxima le tocó el hombro cuando él empezaba a dormirse y estuvo insistiendo en que no quería irse; él se puso a fumar y le dio la razón en todo mientras ella hablaba, como si estuviese diciendo palabras de memoria, de Dinamarca, la bandera con una cruz y un camino en el monte por donde se iba a la iglesia. Todo y de esta manera para convencerlo de que era enteramente feliz con América y con él, hasta que Montes se durmió en paz.

Por un tiempo siguieron llegando y saliendo cartas, y de repente una noche ella apagó la luz cuando estaban en la cama y dijo: «Si me dejás, te voy a contar una cosa, y tenés que oírla sin decir nada». Él dijo que sí, y se mantuvo estirado, inmóvil al lado de ella, dejando caer ceniza de cigarrillo en el doblez de la sábana con la atención pronta, como un dedo en un gatillo, esperando que apareciera un hombre en lo que iba contando la mujer. Pero ella no habló de ningún hombre y, con la voz ronca y blanda, como si acabara de llorar, le dijo que podían dejarse las bicicletas en la calle, o los negocios abiertos cuando uno va a la iglesia o a cualquier lado, porque en Dinamarca no hay ladrones; le dijo que los árboles eran más grandes y más viejos que los de cualquier lugar del mundo, y que tenían olor, cada árbol un olor que no podía ser confundido, que se conservaba único aun mezclado con los otros olores de los bosques; dijo que al amanecer uno se despertaba cuando empezaban a chillar pájaros de mar y se oía el ruido de las escopetas de los cazadores; y allí la primavera está creciendo escondida debajo de la nieve hasta que salta de golpe y lo invade todo como una inundación y la gente hace comentarios sobre el deshielo. Ése es el tiempo, en Dinamarca, en que hay más movimiento en los pueblos de pescadores. También ella repetía: *Esbjerg er noerved kystten,* y esto era lo que más impresionaba a Montes, aunque no lo entendía: dice él que esto le contagiaba las ganas de llorar que había en la voz de su mujer cuando

ella le estaba contando todo eso, en voz baja, con esa música que sin querer usa la gente cuando está rezando. Una y otra vez. Eso que no entendía lo ablandaba, lo llenaba de lástima por la mujer –más pesada que él, más fuerte–, y quería protegerla como a una nena perdida. Debe ser, creo, porque la frase que él no podía comprender era lo más lejano, lo más extranjero, lo que salía de la parte desconocida de ella. Desde aquella noche empezó a sentir una piedad que crecía y crecía, como si ella estuviese enferma, cada día más grave, sin posibilidad de curarse.

Así fue como llegó a pensar que podría hacer una cosa grande, una cosa que le haría bien a él mismo, que lo ayudaría a vivir y serviría para consolarlo durante años. Se le ocurrió conseguir el dinero para pagarle el viaje a Kirsten hasta Dinamarca. Anduvo preguntando cuando aún no pensaba realmente en hacerlo, y supo que hasta con dos mil pesos alcanzaba. Después no se dio cuenta de que tenía adentro la necesidad de conseguir los dos mil pesos. Debe haber sido así, sin saber lo que le estaba pasando. Conseguir los dos mil pesos y decírselo a ella una noche de sábado, de sobremesa en un restaurante caro, mientras tomaban la última copa de buen vino. Decirlo y ver la cara de ella un poco enrojecida por la comida y el vino, que Kirsten no le creía; que pensaba que él mentía, durante un rato, para pasar después a las lágrimas y a la decisión de no aceptar. «Ya se me va a pasar», diría ella; y Montes insistiría hasta convencerla, y convencerla además

de que no buscaba separarse de ella y que acá estaría esperándola el tiempo necesario.

Algunas noches, cuando pensaba en la oscuridad en los dos mil pesos, en la manera de conseguirlos y la escena en que estarían sentados en un reservado del Scopelli, un sábado, y con la cara seria, con un poco de alegría en los ojos empezaba a decírselo, empezaba por preguntarle qué día quería embarcarse; algunas noches en que él soñaba en el sueño de ella, esperando dormirse, Kirsten volvió a hablarle de Dinamarca. En realidad no era Dinamarca; sólo una parte del país, un pedazo muy chico de tierra donde ella había nacido, había aprendido un lenguaje, donde había estado bailando por primera vez con un hombre y había visto morir a alguien que quería. Era un lugar que ella había perdido como se pierde una cosa, y sin poder olvidarlo. Le contaba otras historias, aunque casi siempre repetía las mismas, y Montes se creía que estaba viendo en el dormitorio los caminos por donde ella había caminado, los árboles, la gente y los animales.

Muy corpulenta, disputándole la cama sin saberlo, la mujer estaba cara al techo, hablando; y él siempre estaba seguro de saber cómo se le arqueaba la nariz sobre la boca, cómo se entornaban un poco los ojos en medio de las arrugas delgadas y cómo se sacudía apenas el mentón de Kirsten al pronunciar las frases con voz entrecortada, hecha con la profundidad de la garganta, un poco fatigosa para estarla oyendo.

Entonces Montes pensó en créditos en los bancos, en prestamistas y hasta pensó que yo podría darle dinero. Algún sábado o un domingo se encontró pensando en el viaje de Kirsten mientras estaba con Jacinto en mi oficina atendiendo los teléfonos y tomando jugadas para Palermo o La Plata. Hay días flojos, de apenas mil pesos de apuestas; pero a veces aparece alguno de los puntos fuertes y el dinero llega y también pasa de los cinco mil. Él tenía que llamarme por teléfono, antes de cada carrera, y decirme el estado de las jugadas; si había mucho peligro –a veces se siente–, yo trataba de cubrirme pasando jugadas a Vélez, a Martín o al Vasco. Se le ocurrió que podía no avisarme, que podía esconderme tres o cuatro de las jugadas más fuertes, hacer frente, él solo, a un millar de boletos, y jugarse, si tenía coraje, el viaje de su mujer contra un tiro en la cabeza. Podía hacerlo si se animaba; Jacinto no tenía cómo enterarse de cuántos boletos jugaban en cada llamada del teléfono. Montes me dijo que lo estuvo pensando cerca de un mes; parece razonable; parece que un tipo como él tiene que haber dudado y padecido mucho antes de ponerse a sudar de nerviosidad entre los campanillazos de los teléfonos. Pero yo apostaría mucha plata a que en eso miente; jugaría a que lo hizo en un momento cualquiera, que se decidió de golpe, tuvo un ataque de confianza y empezó a robarme tranquilamente al lado del bestia de Jacinto, que no sospechó nada, que sólo comentó después: «Ya decía yo que eran pocos los boletos para una tarde así».

Estoy seguro de que Montes tuvo una corazonada y que sintió que iba a ganar y que no lo había planeado.

Así fue como empezó a tragarse jugadas que se convirtieron en tres mil pesos y se puso a pasearse sudando y desesperado por la oficina, mirando las planillas, mirando el cuerpo de gorila con camisa de seda cruda de Jacinto, mirando por la ventana la Diagonal que empezaba a llenarse de autos en el atardecer. Así fue, cuando comenzó a enterarse de que perdía y que los dividendos iban creciendo, cientos de pesos a cada golpe de teléfono, cómo estuvo sudando ese sudor especial de los cobardes, grasoso, un poco verde, helado, que trajo en la cara cuando en el mediodía del lunes tuvo al fin en las piernas la fuerza para volver a la oficina y hablar conmigo.

Se lo dijo a ella antes de tratar de robarme; le habló de que iba a suceder algo muy importante y muy bueno; que había para ella un regalo que no podía ser comprado ni era una cosa concreta que pudiese tocar. De manera que después se sintió obligado a hablar con ella y contarle la desgracia; y no fue en el reservado del Scopelli, ni tomando un *chianti* importado, sino en la cocina de su casa, chupando la bombilla del mate mientras la cara redonda de ella, de perfil y colorada por el reflejo, miraba el fuego saltar adentro de la cocina de hierro. No sé cuánto habrán llorado; después de eso él arregló pagarme con el empleo y ella consiguió trabajo.

La otra parte de la historia empezó cuando ella, un tiempo después, se acostumbró a estar fuera de su casa

durante horas que nada tenían que ver con su trabajo; llegaba tarde cuando se citaban y a veces se levantaba muy tarde por la noche, se vestía y se iba afuera sin una palabra. Él no se animaba a decir nada, no se animaba a decir mucho y atacar de frente, porque están viviendo de lo que ella gana y de su trabajo con Serrano no sale más que alguna cosa que le pago de vez en cuando. Así que se calló la boca y aceptó su turno de molestarla a ella con su malhumor, un malhumor distinto y que se agrega al que se les vino encima desde la tarde en que Montes trató de robarme y que pienso no los abandonará hasta que se mueran. Desconfió y se estuvo llenando de ideas estúpidas hasta que un día la siguió y la vio ir al puerto y arrastrar los zapatos por las piedras, sola, y quedarse mucho tiempo endurecida mirando para el lado del agua, cerca, pero aparte de las gentes que van a despedir a los viajeros. Como en los cuentos que ella le había contado, no había ningún hombre. Esa vez hablaron, y ella le explicó; Montes también insiste en otra cosa que no tiene importancia: porfía, como si ya no pudiera creérselo, que ella se lo explicó con voz natural y que no estaba triste ni con odio ni confundida. Le dijo que iba siempre al puerto, a cualquier hora, a mirar los barcos que salen para Europa. Él tuvo miedo por ella y quiso luchar contra esto, quiso convencerla de que lo que estaba haciendo era peor que quedarse en casa; pero Kirsten siguió hablando con voz natural, y dijo que le hacía bien hacerlo y que tendría que seguir yendo al

puerto a mirar cómo se van los barcos, hacer algún saludo o simplemente mirar hasta cansarse los ojos, cuantas veces pudiera hacerlo.

Y él terminó por convencerse de que tiene el deber de acompañarla, que así paga en cuotas la deuda que tiene con ella, como está pagando la que tiene conmigo; y ahora, en esta tarde de sábado como en tantas noches y mediodías, con buen tiempo, a veces con una lluvia que se agrega a la que siempre le está regando cara a ella, se van juntos más allá de Retiro, caminan por el muelle hasta que el barco se va, se mezclan un poco con gentes con abrigos, valijas, flores y pañuelos y, cuando el barco comienza a moverse, después del bocinazo, se ponen duros y miran, miran hasta que no pueden más, cada uno pensando en cosas distintas y escondidas, pero de acuerdo, sin saberlo, en la desesperanza y en la sensación de que cada uno está solo, que siempre resulta asombrosa cuando nos ponemos a pensar.

ABRIL ES EL MES MÁS CRUEL

Guillermo Cabrera Infante

No supo si lo despertó la claridad que entraba por la ventana o el calor, o ambas cosas. O todavía el ruido que hacía ella en la cocina preparando el desayuno. La oyó freír huevos primero y luego le llegó el olor de la manteca hirviente. Se estiró en la cama y sintió la tibieza de las sábanas escurrirse bajo su cuerpo y un amable dolor le corrió de la espalda a la nuca. En ese momento ella entró en el cuarto y le chocó verla con el delantal por encima de los *shorts*. La lámpara que estaba en la mesita de noche ya no estaba allí y puso los platos y las tazas en ella. Entonces advirtió que estaba despierto.

–¿Qué dice el dormilón? –preguntó ella, bromeando.

En un bostezo él dijo: «Buenos días».

–¿Cómo te sientes?

Iba a decir muy bien, luego pensó que no era exactamente muy bien y reconsideró y dijo:

—Admirablemente.

No mentía. Nunca se había sentido mejor. Pero se dio cuenta que las palabras siempre traicionan.

—¡Vaya! –dijo ella.

Desayunaron. Cuando ella terminó de fregar la loza, vino al cuarto y le propuso que se fueran a bañar.

—Hace un día precioso –dijo.

—Lo he visto por la ventana –dijo él.

—¿Visto?

—Bueno, sentido. Oído.

Se levantó y se lavó y se puso su trusa. Encima se echó la bata de felpa y salieron para la playa.

—Espera –dijo él a medio camino–. Me olvidé de la llave.

Ella sacó del bolsillo la llave y se la mostró. Él sonrió.

—¿Nunca se te olvida nada?

—Sí –dijo ella y lo besó en la boca–. Hoy se me había olvidado besarte. Es decir, despierto.

Sintió el aire del mar en las piernas y en la cara y aspiró hondo.

—Esto es vida –dijo.

Ella se había quitado las sandalias y enterraba los dedos en la arena al caminar. Lo miró y sonrió.

—¿Tú crees? –dijo.

—¿Tú no crees? –preguntó él a su vez.

—Oh, sí. Sin duda. Nunca me he sentido mejor.

—Ni yo. Nunca en la vida –dijo él.

Se bañaron. Ella nadaba muy bien, con unas brazadas largas, de profesional. Al rato él regresó a la playa y se tumbó en la arena. Sintió que el sol secaba el agua y los cristales de sal se clavaban en sus poros y pudo precisar dónde se estaba quemando más, dónde se formaría una ampolla. Le gustaba quemarse al sol. Estarse quieto, pegar la cara a la arena y sentir el aire que formaba y destruía las nimias dunas y le metía los finos granitos en la nariz, en los ojos, en la boca, en los oídos. Parecía un remoto desierto, inmenso y misterioso y hostil. Dormitó.

Cuando despertó, ella se peinaba a su lado.

–¿Volvemos? –preguntó.

–Cuando quieras.

Ella preparó el almuerzo y comieron sin hablar. Se había quemado, leve, en un brazo y él caminó hacia la botica que estaba a tres cuadras y trajo picrato. Ahora estaban en el portal y hasta ellos llegó el fresco y a veces rudo aire del mar que se levanta por la tarde en abril.

La miró. Vio sus tobillos delicados y bien dibujados, sus rodillas tersas y sus muslos torneados sin violencia. Estaba tirada en la silla de extensión, relajada y en sus labios, gruesos, había una tentativa de sonrisa.

–¿Cómo te sientes? –le preguntó.

Ella abrió sus ojos y los entrecerró ante la claridad. Sus pestañas eran largas y curvas.

–Muy bien. ¿Y tú?

–Muy bien también. Pero, dime... ¿ya se ha ido todo?

–Sí –dijo ella.

–Y... ¿no hay molestia?

–En absoluto. Te juro que nunca me he sentido mejor.

–Me alegro.

–¿Por qué?

–Porque me fastidiaría sentirme tan bien y que tú no te sintieras bien.

–Pero si me siento bien.

–Me alegro.

–De veras. Créeme, por favor.

–Te creo.

Se quedaron en silencio y luego ella habló:

–¿Damos un paseo por el acantilado?

–¿Quieres?

–Cómo no. ¿Cuándo?

–Cuando tú digas.

–No, di tú.

–Bueno, dentro de una hora.

En una hora habían llegado a los farallones y ella le preguntó, mirando a la playa, hacia el dibujo de espumas de las olas, hasta las cabañas:

–¿Qué altura crees tú que habrá de aquí a abajo?

–Unos cincuenta metros. Tal vez setenta y cinco.

–¿Cien no?

–No creo.

Ella se sentó en una roca, de perfil al mar, con sus piernas recortadas contra el azul del mar y del cielo.

–¿Ya tú me retrataste así? –preguntó ella.

–Sí.

–Prométeme que no retratarás a otra mujer aquí así.

Él se molestó.

–¡Las cosas que se te ocurren! Estamos en luna de miel, ¿no? Cómo voy a pensar yo en otra mujer ahora.

Isla en babia

Laura Freixas

Colocada mansamente allí donde el destino la había puesto, no era feliz ni tampoco desgraciada. Hace tiempo que los geógrafos declararon de una vez por todas cuál era el lugar de cada cosa; el mundo está atrapado por redes de carreteras y letreros, y la gente de bien duerme tranquila. Sol y luna, alternativamente, trazaban a su alrededor pausados círculos; al día seguía la noche, y a ésta el amanecer; a mediodía, todos los campanarios tocaban, al unísono las doce. Todo estaba en orden. Sólo que a veces, mirándose en el agua, le parecía que su imagen se iba desvaneciendo. Entonces repetía en voz alta, intranquila, su nombre, y su nombre le sonaba vacío, una cáscara hueca; y en el agua no veía su reflejo, sino sólo el plácido vaivén de las redes de luz sobre las olas.

Pero una noche ocurrió algo imprevisto: vio llorar a la luna. ¿Tendría penas de amor? Estaba enrojecida, y

por las mejillas lisas y brillantes le resbalaban lágrimas de luz, que iban a caer al mar con un murmullo. Sin pensarlo dos veces dio un tirón, para acercarse a ella.

Pero eran muchos los siglos de inmovilidad y asentamiento, de imperceptibles vínculos que iban llenándose de herrumbre y la apresaban. Tiró más fuerte, desesperada de impaciencia, la vista fija en la luna lejana –no sabía que se hallaba tan sólidamente anclada, tan esclava–, hasta arranc. r de cuajo, por sorpresa, sus raíces de roca. Y cuando quiso darse cuenta, se encontró navegando libremente, a la deriva. El viento alborotaba su cabellera verde, y le ardían, de emoción, las mejillas de piedra.

En el fondo del mar, las algas se peinaban con sus peines de nácar. Caracolas soñaban sueños en espiral; las ostras arrullaban, con canciones de cuna, a sus pequeñas perlas; caballitos de mar dormían en sus establos, y los peces-martillo descansaban de su honrada labor de carpinteros. A todos les pasó desapercibida la inmensa sombra que se deslizaba sobre ellos en silencio, llevando a cuestas calles y farolas, habitantes dormidos y sus sueños, plazas desiertas con murmullos de fuentes, y gatos sigilosos bailando en los tejados.

Perdida con delicia en medio de lo oscuro, tímida y exaltada, ella olvidó la luna –oculta ahora tras ropajes de nubes–: el azar ponía de súbito a su alcance el mundo entero, otros mares y costas, todas las maravillas con las que alguna vez había soñado.

Iría a ver la costa Azul, con sus playas de fina arena azul, y sus hombres azules, y Barba Azul, el rey, en su palacio azul con lacayos azules. Visitaría la costa Dorada: vería arena de oro, rocas de plata y pinos de esmeraldas. Y la costa del Sol, donde se acuesta el sol todas las noches, abrazado a una almohada púrpura de nubes, a la hora en que la luna, con su corte de estrellas, zarpa para surcar serenamente el cielo. ¡Conocería otros mares! El mar Rojo, bajo una bóveda celeste roja de día y por las noches blanca, crestas de espuma negra sobre las olas rojas, y cangrejos azules y mejillones blancos. El mar Negro... sería exótico y fiero; había oído hablar de su Cuerno de Oro. ¡Un mar negro y altivo, rematado por un asta dorada y retorcida, igual que un unicornio!

¿Y el mar Muerto? Estaría quieto y frío, pobrecito, enterrado bajo una lápida de mármol –una lápida inmensa, lo bastante grande para contener todo un mar muerto, con sus olas inertes, ballenas boca arriba y algún pálido cadáver de sirena–. Sobre la gigantesca losa, una inscripción: «Aquí yace el mar Muerto. E.P.D.».

Empezaba a clarear, y no sabía dónde estaba.

La noticia de la deserción de Menorca, conocida aquella misma noche, cayó como una bomba en la península. Sudorosos y medio enloquecidos, los comandantes de Marina tropezaban unos con otros dando órdenes contradictorias, mientras las sirenas de los buques perdidos se hacían eco, como plañideras, en la niebla.

El Primado de las Españas, el que compungidos monaguillos sacaron de la cama, redactó en zapatillas una homilía furibunda culpando al comunismo ateo de la perversión del derecho natural. El Consejo de Ministros, reunido con carácter de urgencia (bajo las arrugadas americanas asomaban solapas de pijamas de fantasía, y en la confusión nadie notó la presencia de un espía ruso debajo de la alfombra), redactaba uno tras otro comunicados tranquilizadores que acrecentaban la alarma entre la población. En medio de un pandemónium de gritos, llamadas telefónicas y télex, frenéticos periodistas revolvían el Cajón de los Tópicos y los Ficheros de Frases Hechas intentando componer, a tiempo para la edición de la mañana, editoriales grandilocuentes y severos que no dijesen estrictamente nada. Pero en el fondo de todas las conciencias, latía un mismo terror: todo lo que hasta entonces había sido inamovible y fijo –los obeliscos y las cordilleras, las tumbas, los semáforos– podía en cualquier momento comenzar, con perfidia inaudita, a desplazarse.

La policía recibió órdenes de acordonar en toda España las plazas y los parques, pues se temía que las Venus de mármol y los Martes de bronce, alentados –si llegaban a saberlo– por el pernicioso ejemplo de la isla, se apearan tranquilamente de sus pedestales para ir a acariciar a un gato de tejado, buscar setas, jugar el escondite, o aún peor, revolcarse juntos debajo de los árboles. Para mayor seguridad, se trabaron con grilletes

las patas de los caballos de las estatuas ecuestres. En Barcelona, un pelotón de fusilamiento apuntaba temblando metralletas a la estatua de Colón, con orden de hacer fuego si le veían deslizarse, como un niño travieso, por su columna abajo. En Madrid, toda una división acorazada custodiaba a la augusta Cibeles; y en Gerona, el Ejército aterrorizado cavó trincheras frente a la catedral, que, de echar a andar, podía provocar una catástrofe rodando por su inmensa escalinata.

A la vista de tales preparativos, pronto cundió el pánico entre los honrados ciudadanos. Hasta los más valientes se apresuraron a cerrar a cal y canto sus puertas y ventanas, temerosos de asistir al espeluznante espectáculo de calles invadidas por arcos de triunfo, fuentes ornamentales y quioscos reptando y tropezando en espantoso caos. Las familias que poseían pianos los ataron con cadenas a la pared del comedor; los niños, encantados, sugirieron inmediatamente construirles casetas y ponerles a vigilar los hogares, imaginando que, de advertir la presencia de un extraño, romperían a ladrar furiosamente la Quinta Sinfonía.

Por su parte, los sacristanes concienzudos cerraron con doble llave las iglesias, para evitar que escaparan al galope las hileras de bancos, seguidos por altares, reclinatorios, imágenes sagradas y pilas de agua bendita saltando a la pata coja. Y cuando se empezó a mirar con suspicacia, incluso, a los candelabros, los armarios de luna y las bañeras que ocupaban los hogares donde la

población se refugiaba, brotaron síntomas de histeria colectiva.

Era ya mediodía cuando el Gobierno, sintiéndose al borde de la hecatombe –pues era evidente que en el peor de los casos, ni los campanarios que hubieran decidido salir a ver mundo, ni los sillones Luis XV saltando a la comba por las calles iban a respetar toque de queda alguno–, decidió cortar por lo sano y mandó quince buques de guerra a recuperar la isla rebelde.

Menorca estaba excitadísima: acababa de vislumbrar la antena de la estación de radio en la playa de Pals, centelleante bajo el sol de la mañana, y estaba convencida de que era el Cuerno de Oro. No tuvo tiempo de comprobar su error. Desde uno de los buques, un domador de tigres, contratado para la ocasión por el Gobierno, le echó encima una red colosal, haciendo gala de impecable puntería. El país entero, atrincherado tras puertas y ventanas tapiadas, entre cómodas y sofás amarrados con sogas, seguía por televisión los pormenores de la captura. Menorca se dejó conducir dócilmente a los muelles de Palma, donde la recibió una banda de música militar entre los vítores de la aliviada población. Luego, empavesada de pies a cabeza y en un ambiente de euforia, fue devuelta con toda solemnidad a su emplazamiento exacto.

Puede decirse que todo ha vuelto al orden, por mucho que haya todavía quien, al ir a tomar un baño, crea descubrir en su bañera una mirada de sorna, o por mucho que algunos no puedan evitar un segundo de ho-

rrorosa aprensión al abrir cada mañana los postigos, temiendo ver un banco del paseo trepando a una farola.
(Aunque el incidente no ha trascendido a los periódicos,
se sabe que dos semanas después de estos sucesos, los
aduaneros de Port-Bou interceptaron a una mesa cami-
lla, que intentaba cruzar la frontera disfrazada de arzo-
bispo.) Desolada por el fracaso de su inocente travesura,
Menorca sigue sin entender lo que ha ocurrido, y se pregunta a veces, melancólica, quién le irá a llevar flores al
mar Muerto.

LA EXISTENCIA DEL MAR

Juan Antonio Masoliver Ródenas

Estudiábamos en el mismo colegio, pero apenas si tenía amigos porque era huérfano de padre y estaba allí como chico pobre, y hasta le hacían vestir de negro, según mis hermanas porque así los curas podían presumir de caritativos. Eran cuatro los huérfanos, y la vergüenza les hacía rechazarse incluso entre ellos. Iban con pantalones cortos a pesar de que Arturo era mucho más alto que nosotros y ya tenía pelos en las piernas. Unos pelos lacios y negros que daban tristeza, como sus ojos lánguidos, casi sin vida, y su voz apagada. Se hizo amigo mío porque compartíamos la pasión por las colecciones: de cajas de cerillas, de chapas y corchos de botella, de etiquetas y de matrículas de coches. No se había movido nunca de Teyá, lo más lejos que había llegado era a las viñas del merendero, donde íbamos a robar uva y a hablar.

Apenas si lo recuerdo riendo, pese a que tenía un extraño sentido del humor y observaba aspectos absurdos de las cosas que nosotros no habíamos visto y hasta no nos hubiésemos atrevido a ver. Se podía burlar incluso de sí mismo, de sus piernas pálidas, flacas y peludas, de la sombra del bigote, de cómo tartamudeaba cuando le preguntaban en clase (como estudiante era muy torpe) fingiendo que estaba pensando cuando en realidad su cerebro estaba vacío y lo único que deseaba era que llegase el momento en que el cura se cansase de torturarlo y humillarlo y le hiciese sentar. Curiosamente, durante las explicaciones tomaba notas, y tan bien tomadas que todos le pedíamos los apuntes, hasta Canals que siempre era el primero de la clase por lamecuras y deportista.

En las clases de geografía de pronto le veíamos sonreír con expresión burlona, a pesar de que lo único que podía provocar el padre Maestre era miedo y aburrimiento: se limitaba a leernos el libro de texto y de vez en cuando se arriesgaba a señalar el mapa de hule con un puntero, aunque siempre titubeando. Se le confundían los ríos y los océanos, los valles y las montañas que nosotros podíamos ver sin necesidad de que nos señalase nada. Yo miraba admirado la sonrisa sardónica de Arturo, en realidad un muchacho pusilánime que sabía lo precario de su situación y que su vida de estudiante pendía y dependía de un hilo de araña. A mí me había dicho repetidas veces, como una obsesión, que odiaba a los curas y su pegajosa caridad, pero que estaba dispues-

to a aguantar todas las indignidades con tal de terminar sus estudios. Esta sonrisa y su habilidad para tomar apuntes era lo único misterioso en la vida de Arturo. También su capacidad para que, a pesar que no lograba o no le interesaba integrarse en ningún grupo, nadie se burlara de él. Tal vez porque, para protegerse, había conseguido crear la impresión de que era él quien rehuía la compañía, sabiendo que de todos modos corría el riesgo de ser rechazado por huérfano y por pobre y también porque raramente compartía nuestras experiencias. Con permiso o no de nuestros padres, a pie o en el autobús amarillo como una avispa, nos íbamos a los baños San Pedro de Masnou, a pasear y mirar chicas al Paseo de las Palmeras de Badalona o a las fiestas mayores. Como íbamos siempre en grupo, no me atrevía a decirle que me acompañase y de todos modos lo más seguro es que me hubiese dicho que no podía o que no quería. Pero en Masnou había conocido a dos chicas muy tontas y muy simpáticas, Clara y Maribel, y cuando les hablé de Arturo me dijeron que por qué no bajaba con él también. Cuando les expliqué que era huérfano Maribel se echó a reír: «Pues así no tiene ni que pedir permiso a nadie. Qué más quisiera yo que ser huérfana». Nos reímos los tres de nuestros padres, que se pasaban la vida prohibiéndonos cosas que lo mismo íbamos a hacer, y les prometí que bajaría con Arturo.

Yo estaba en todos los grupos, así que no tenía compromiso con ninguno. Si me cansaba de uno me iba con

otro. Una mañana me levanté cansado de todos y decidí preguntarle a Arturo si quería bajar a Masnou para bañarnos.

–Ya tengo la balsa del merendero –me dijo–, y encima puedo bañarme solo y desnudo.

Le hablé de Clara y Maribel.

–¿Con estos pelos? –se rió sin expresión.

Hubo un silencio que no rompí: sabía que Arturo no pensaba en los pelos, al fin y al cabo eso le daba cierto prestigio, pensaba en su ropa, en su cuerpo de huérfano, temas que no tocábamos nunca. De pronto me dijo:

–Y además, el mar no existe.

Conocía bien a Arturo: no era una broma. A no ser que hubiese descubierto un nuevo matiz para desconcertarme.

–¿Cómo que el mar no existe? La tercera parte del planeta es agua.

–Y el cuerpo humano también. Y yo por mucho que salte no la oigo ni la siento. ¿Dónde está el agua, eh?

–Está mezclada con las otras cosas.

–¿Y qué cosas, por ejemplo?

–Mira, yo del cuerpo no sé mucho, pero sé que la veo en el mapa. ¿No has visto el mapa del padre Maestre? Es como si todo estuviese flotando.

–¡El mapa del padre Maestre! ¿Y tú has visto cómo busca? Si fuese tan obvio no tendría por qué estar dudando.

–¿Y la lluvia?

–La lluvia viene de las nubes.

–¿Y las nubes de dónde vienen? ¿De París, como los niños?

–O de Londres, como las vacas. Pues viene de la lluvia: llueve y el sol absorbe el agua de la lluvia y la lluvia vuelve a ser nubes. Y además están los ríos.

–¡Ahora sí que has caído en la trampa! ¿Y adónde van los ríos?

–Pues van y dejan de ir.

–No señor. Van al mar: el mar vive de los ríos, sin los ríos no habría mar.

–Ya empiezas a poner en duda la existencia del mar.

–Primero tendría que poner en duda la existencia de los ríos.

–Pues no te hace ninguna falta. Los ríos existen, si no no habría agricultura, tal vez ni siquiera lluvia. Nadie lo va a negar. Pero ¿me vas a decir que un río, desde montañas muy lejanas, recorre miles y miles de kilómetros para buscar el mar? ¿Y para qué necesita el mar un río, eh? Los ríos están para regar los campos, y hasta para bañarte, si te gusta y cuando han ido metiéndose en la tierra y el sol los ha ido absorbiendo hay un momento en que se agotan, es de cajón, es como un depósito de agua que cuando se acaba ya no sale más del grifo.

–¿Y los barcos?

–Pues para ir por los ríos. ¿Cuántos barcos has visto, tú?

–Ninguno, pero tú también los has visto en las películas y en las fotos, ¿no?

–Y a Blancanieves y a Tarzán también los he visto. Y a San José de Calasanz. ¡Incluso me paga el colegio!

–¿Y cómo llegamos a América?

–Si tienes dinero, en avión; si no lo tienes, a pie; y si eres como yo, te quedas en Teyá y *prou.*

–Esto me lo dices a mí ahora, pero delante de los demás no lo dirías, ¿a que no?

–¿Quiénes son los demás?

–Cualquiera.

–¡Y a mí qué me importan los demás! Lo que te digo todas las veces que quieras es que el mar no existe y no existirá jamás.

–¿Por qué no vienes a Masnou y lo compruebas?

–Porque en Masnou, no se me ha perdido nada. Además –titubeó, se miró las manos, movió la cabeza como si no tuviese sentido seguir hablando–, además, ¿por qué tienes tanto interés en convencerme? ¿Qué te importa a ti lo que yo crea o no crea?

No quería herirle. Me daba cuenta de que estábamos yendo demasiado lejos.

–Yo no quiero convencerte, Arturo, y tampoco pretendía decirte nada importante. Sólo te he dicho que podríamos ir a la playa de Masnou, estar con Clara y Maribel, y si crees en el mar te bañas y si no, te quedas charlando con ellas.

–Ellas pueden subir aquí.

–¡A Teyá!

–¡A Masnou!

Intuí que había un vacío y que ese vacío imposibilitaba cualquier conversación que fuese más allá de lo que cada uno de nosotros nos habíamos empeñado en creer. Hice algo que nunca me hubiese atrevido a hacer, le tomé la mano y le dije:

–Lo único que te pregunto es que si lo que me has dicho a mí lo dirías delante de cualquiera.

–¿Por qué no?

–Trato hecho –le dije.

Sabía que estaba violando algo. Ignoro si lo sabía él. Lo mío, por otro lado, podía ser una intuición o un temor. Como cuando caminamos sobre un lago helado con el temor de que de pronto la capa se quiebre. Caminamos siempre sobre lagos helados. Los lagos de los desiertos, los oasis, los lagos de los sueños, el beso que damos un instante antes de amar o pedir amor, las heridas, los vidrios que saltan en los ojos, el pozo, el vómito en la blusa de seda, la ceniza de los muertos que nos ciega, los recuerdos que ya no están allí. El caso es que un día estábamos sentados en el bar de los billares, sin hablar, cuando llegó el grupo del frontón y se acercaron a saludarme y a preguntarme si bajaba a Masnou con ellos. Les contesté que todavía no había decidido. Tárrega me dijo que había cucañas en la playa y se me presentó la oportunidad esperada.

–¿La playa? Arturo cree que el mar no existe.

–Si no existe el mar, ¿dónde vivirían las sirenas?

–En eso no había pensado –dijo Arturo, no sé si tratando de seguir la broma.

–¿Y para qué están los barcos, entonces? –dijo Erico.

–Para los que creen en el mar. ¿Acaso no hay imágenes en las iglesias? ¿Acaso no hay iglesias? ¿Para qué están?

–¡Para los que creen en Dios!

–Pues los barcos están para los que creen en el mar.

–¡Oye! –exclamó Colmenares–. ¡Que éste lo de que no existe el mar lo está diciendo en serio!

Entonces habló Ramón Galera, el pelotari. Demasiado tonto para decirlo con mala intención.

–Y entonces, tu padre, ¿de qué murió?

Se hizo un silencio difícil. Traté de decir algo para romperlo, pero no se me ocurría nada. De pronto Arturo se levantó enfurecido para lanzarse contra él, pero antes de que nadie reaccionara para detenerlo se quedó paralizado, se puso a temblar, balbuceó sonidos confundidos con los esfuerzos por controlar el llanto y se fue. Yo me levanté pero no le seguí. Me pareció que todo el peso de la torpeza caía sobre mí, no sobre Galera, quien para probar que era estúpido (lo sigue siendo, en su taller de reparación de bicicletas) bastaba con que abriese la boca. Todo el pueblo conocía la historia del padre de Arturo o, mejor dicho, las dos versiones de una misma historia: que se había suicidado o que había fingido suicidarse para desaparecer. En lo que coincidía todo el

mundo era en que la noticia del embarazo de Nuria le dejó anonadado. Insistía en que no se había acostado con ella, que no tenía la mínima intención de casarse y mucho menos de tener un hijo. Hasta que un día pidió prestada la barca a Luis Pagés, el hijo de Marina, y no regresó jamás: ni la barca ni él. Según algunos, cuando llegó al horizonte se arrojó al agua, la barca se perdió detrás del horizonte y todavía debe de andar medio podrida por quién sabe qué aguas. Según otros, la barca se la llevaron unos tipos de Arenys y al padre de Arturo se lo llevó un camión y por ahí andará, pues dicen que hasta tuvo humor para bromear: «Me largo a América y América empieza en Premiá». Y nadie salió a buscarle. Por dejarle que se fuera o porque era muy tarde. O porque aquí vivimos en la indolencia, como barcas abandonadas en el mar del alba.

No pude dormir en toda la noche. Decir que no existe el mar es, desde luego, absurdo; y no era tan normal que Arturo dijese cosas absurdas. ¿Por qué me empeñé en que triunfara la lógica? ¿En qué podía afectarme que Arturo creyera o no en la existencia del mar? ¿Por qué tenía que estar seguro de la existencia del mar y no de que era un huérfano cuando todos le tratábamos como tal? ¿Qué es la amistad?, me preguntaba. ¿Mi empeño en mostrar que estaba equivocado y en ignorar las razones por las que se equivocaba o había decidido equivocarse? Pero ya al amanecer me sentí más tranquilo, pensé que no se podía dramatizar una torpeza inocente como la de

Galera y que en realidad tampoco se podía negar la realidad de la desaparición del padre. Si el padre no está en la casa se es huérfano, tanto si está vivo como si está muerto. ¿Acaso las palabras de Galera iban a cambiar la vida de Arturo, al decirle algo que ya sabía?

Sabía que estaba cayendo en las trampas de siempre, trampas que yo mismo me tendía. Pero también me irritaba pensar que al fin y al cabo yo era su único amigo, el único que había ignorado su desgracia. Y por eso mismo, por meterme donde no me importaba, ahora tenía que ser también el único en sentirme culpable. Y lo que había dicho Galera tampoco era una mentira, había dicho algo que el propio Arturo sabía y que sabíamos todos nosotros. ¿Cómo se le podía ocurrir algo tan estúpido como que el mar no existe? De Teyá a Masnou hay un kilómetro y medio, basta caminar este kilómetro y medio para ver un mar que el que quiera hasta puede oler desde aquí, y allí están Maribel y Clara, los Sanjuán y las Ricard y las Serra y nosotros. Muy bien, es un pobre huérfano. ¿Qué tiene que ver eso con el mar? ¿Tengo que decidir que el mar no existe para solidarizarme con un huérfano? ¿No está en la misma clase que yo y que todos nosotros y con el mismo mapa que demuestra que el mar existe y que por eso existen las islas y los continentes y hasta nosotros mismos?

Por la ventana veo acercarse a la madre de Arturo. Me asomo a la escalera: «Mamá, mamá, dile que he salido». Y vuelvo a la habitación, pero dejo la puerta abier-

48

ta. Clara es mucho más guapa, tiene los ojos verdes como el agua del interior del mar, y un cuerpo muy desarrollado, pero es tan lánguida que da angustia. Llaman a la puerta. En cambio Maribel, aunque tiene cara de mono, en la playa nos divertimos mucho más. Que Arturo no ha vuelto a casa desde que salió ayer por la tarde. Siento una angustia que me impide respirar, como cuando estamos buceando y de pronto tenemos un calambre, pero mi madre le está diciendo que yo no me he movido de casa y que no puede ayudarla. Si sabe algo ya se lo dirá. Oigo cerrarse la puerta y veo alejarse a la mujer. Alta y flaca como su hijo, también ella vestida de negro, luto de viuda y luto de huérfano. «¡Juan Antonio!», me llama mi madre. Y luego, como hablando consigo misma, que es lo que hace siempre: «¡Qué desgracia de familia!». Miro cómo la figura de la madre se va hundiendo en el horizonte, como un sol negro, hasta que queda inmovilizada en mis ojos como un espantapájaros. Lo malo de Maribel, pienso, es que siempre parece que se está riendo de nosotros. Pero en realidad no importa. A la playa uno va a divertirse, ¿no? Y la verdad es que cuando estoy con Clara me entran ganas de llorar.

Fátima

DE LOS NAUFRAGIOS

Lourdes Ortiz

Fátima de los naufragios la llamaban. Se pasaba las horas junto a la orilla oyendo los sonidos del mar. Unos decían que era vieja y otros joven, pero era imposible percibir la edad tras aquel rostro convertido en máscara que guardaba señales de lágrimas, surcos ovalados bajo las cuencas de los ojos. Las gentes de la aldea de pescadores se habían acostumbrado a su presencia y a su silencio. La muda, la llamaban los niños y los «maderos» pasaban a su lado sin pedirle papeles, como si, viéndola a ella, de pie, inmóvil sobre la playa, transformada en estatua de dolor, ellos pudieran pagar su culpa. «Tiene la mismita cara de la Macarena, una Macarena tostada por el sol», decía la Angustias, sentada ante la puerta de su casa en su sillita de anea. «Es —repetía a quien quisiera oírla— la Macarena de los Moros; es la madre que perdió a su hijo y aún le espera y reza por él, con las manos cubiertas por el manto y estática, como

si oyera los mensajes del mar, dialogase con él y aguardase a que el mar escuchara algún día su plegaria». La loca de la playa para los turistas, la mendiga africana. Hubo quien le ofreció trabajar en los invernaderos, y una señora de postín se acercó un día a brindarle un trabajo por horas; «parece buena gente y me da lástima», comentó. Los municipales hablaron del asilo y una concejala emprendedora se acercó una vez a proponerle asistencia social y la sopa del pobre. Pero ella siempre bajaba la cabeza en un gesto de humildad o desentendimiento y ambas, la mujer de postín y la concejala, creyeron percibir un gorgoteo, un sollozo que no parecía humano, y entendieron el silencio, tan impasible y quieto, como una negativa que imponía respeto. Eso fue al comienzo, pero ahora ya, pasados los años, todos se habían habituado a la presencia callada y sepulcral de la mora, allí quieta día y noche, sobre la playa. De noche, acurrucada junto a las barcas, cubierta por un manto cada vez más opaco y raído; de día, convertida en vigía, alerta a cualquier movimiento de las aguas, con los ojos perdidos, fijos en un punto distante, escuchando los rumores del viento, imperturbable ante las olas crespas o calmas. Allí quieta, expectante, con los ojos clavados en una distancia que ya no era de este mundo. «Está pa' allá», decía Antonio, el pescador. «A mí al principio me daba casi miedo. Pero ahora sé que es sólo una pobre mujer, una chiflada que no hace daño a nadie». Y la mujer de Antonio ponía ración doble en la

tartera y le hacía un guiño cómplice que él sin comentarios entendía. Antonio, se acercaba entonces a la mora y, como quien deposita una ofrenda, dejaba el plato de aluminio con las lentejas todavía calientes o las patatas guisadas. «Sin cerdo; no le pongas cerdo, que su dios no aprueba el cerdo. Si le pones costillas, no las prueba», recomendaba Antonio a la mujer, y ella asentía y echaba a la olla espaldilla de cordero para conseguir la sustancia. Cuando llegue el invierno morirá de frío, decían al principio. Pero el invierno benigno del sur la protegía. Fue entonces, un día de diciembre, cuando el cura del pueblo se acercó hasta la barca y depositó a sus pies la manta casi nueva –que una buena vecina había llevado a la parroquia– y algunos cuentan que esa mañana, al despertarse, los ojos de la mujer se abrieron más, hincó las rodillas en tierra y su frente tocó la arena; permaneció así durante mucho rato y luego tomó la manta y la dejó caer sobre sus hombros, cubriendo el manto que ya comenzaba a clarear, y Lucas, el hijo de Antonio, afirma que cuando se cubrió con aquella manta de franjas rojas y moradas hubo una luz, un aura que la encendía toda, y Lucas niño, asustado, se echó la mano a la boca por el espanto y fue corriendo a su madre gritando que la mujer no era mujer sino fantasma, aparición o sueño, y que desprendía el fulgor de los peces sin desescamar. Felisa, la panadera, oyó comentar a una de sus clientas que la mujer tenía dotes taumaturgas, dotes milagreras y que probablemente con su roce podía cu-

rar a los enfermos. Pero nadie se atrevía a acercarse y menos a palparla. La santa mora silenciosa miraba al mar y lo escuchaba, y los pescadores se aproximaban a ella sin turbar su silencio o su recogimiento y desde lejos entonaban plegarias a la Virgen del Carmen, a la que, sin atreverse a formularlo, creían reconocer bajo el manto manchado de la mora, a la que ya decían la «moreneta».

Tres inviernos habían pasado desde su llegada y sólo a los turistas o a los veraneantes parecía turbarlos la presencia de aquella estatua hecha de arena y sufrimiento que de algún modo perturbaba el paisaje y ponía una nota oscura en el horizonte. «No es mala, ¿sabe usted? –se encargaba de explicarles Paquito, el hijo de la Toña–. Es del otro lado del mar. Llegó aquí un día y se quedó. No es mendiga tampoco. Vive como viven los peces, casi del aire. No pide, no. Ni molesta. Sólo está ahí fija y mira al mar. Hay quien dice que, bueno, no van a creerme, pero es milagrera y al pueblo le trae suerte. Ahí está y nadie se mete con ella». Porque el pueblo entero la había hecho suya y los rumores con el tiempo se habían ido acallando, aquellos que cundieron al principio: «¡Que si está loca, pobre mujer, mejor si la volvieran a su tierra! Allí probablemente tendrá padres o gente que la acoja, familia como cualquier humano». La mujer de la ciudad, la de la casa grande sobre el acantilado, se había interesado por ella aquel primer verano y quiso saber detalles. Y la Encarna explicó lo del marido y lo del hijo, que

Mohamed había contado antes de marcharse definitivamente a los invernaderos. Mohamed era un chaval despierto que dijo conocerla, porque venía con ella en la patera y tuvo suerte y pudo llegar a tierra, como pudo llegar la mujer, tras una noche horrible de lucha contra las olas. Fátima se llamaba, aseguró el muchacho, y el marido, dijo, era recio como un roble; incomprensible que se ahogara, aunque tal vez intentó rescatar al hijo –no más de diez años, quizá nueve–, un niño de cabellos rizados que durante gran parte de la travesía había descansado la cabeza en el regazo de la madre. Hasam el hombre, Hasam el niño. Mala suerte los dos, mala suerte, como tuvieron mala suerte los otros veinticuatro: «Pequeña patera, pequeña, no mucho espacio. Mujeres, niños... Mala cosa traer mujer; mejor dejar mujer cuando uno se lanza a la aventura». Mohamed era un muchacho magrebí que permaneció varios días perdido por los montes y que acabó encontrando trabajo sin que nadie preguntara después ni cuándo ni con qué papeles había llegado. Sabía trabajar. Tenía una risa blanca de resucitado y daba confianza a los patrones y a los mozos. La primera vez que se cruzó con ella, una mañana en que con otros se acercó hasta el pueblo, tuvo él también un escalofrío, un estremecimiento, como si viera la imagen de la muerte, el cuerpo de una sirena que hubiera salido de las aguas. Fátima es, dijo a los otros, Fátima es, repetía y entonces ellos le dijeron que se acercara a ella y que le hablase, que tal vez si a él le reconocía pudiera al fin sa-

lir de su mutismo, de aquel extraño ensimismamiento en el que permanecía desde que un día la habían descubierto allí de pie, en la playa. «Mujer salvada, raro, difícil salvarse. Él, sólo él, Mohamed, tuvo suerte. Alá fue bueno con él –contaba– porque él buen nadador, él preparado durante meses, durante años, nadando como un pez allá, cerca de Alhozaima, en un mar hermano, muy parecido, mar como éste azul, con olas suaves, bonitas playas también allá. Pero mujer no fuerte, mujer no dura, mujer no posible salvarse, como no pudieron salvarse los otros veinticuatro. Fue viento malo, terrible mar, olas inmensas que primero abrazaban la patera y al final acabaron volcándola. A muchas millas de la costa. Lejos, muy lejos». Mohamed ponía los ojos en blanco cuando recordaba aquella noche, ojos de pescado recién sacado del mar, ojos de incertidumbre, y repetía la plegaria, Alá es grande; él, niño nacido de nuevo de las aguas, rescatado por un dios benigno, que le llevó, moviendo sin cesar los brazos, hasta la arena húmeda de una playa vacía, una playita salvaje sin casas, ni personas, una playa diminuta pero que resultó cuna donde pudo permanecer casi sin aliento, casi sin fuerzas durante dos largos días y dos noches hasta que el hambre y el desfallecimiento le obligaron a moverse, le hicieron andar y andar hasta llegar por fin a aquella casa, una casa de adobe donde la mujer, una mujer de edad, al verle semidesnudo y con aquella barba crecida, se santiguó y le ofreció pan y habas frescas. Todavía lo recuerda Mohamed, recuerda perfectamente y

puede describir con detalle la mano regordeta de la vieja
que le dio de beber aquellas primeras gotas de agua dulce, gotas que, al roce de los labios, parecían quemar. Habas frescas y agua caliente que luego fermentaron en su
estómago produciéndole aquellos desacostumbrados re-
tortijones de vida, aquella virulencia del aire encerrado
en sus tripas que luchaba por escapar y que provocó las
risas de la vieja y la sonrisa blanca de Mohamed, el resucitado, esa sonrisa extraña de anuncio de dentífrico que
ya no habría de apagarse. Vieja generosa y hombre bueno que le proporcionaron cama y comida aquella noche
y que dos semanas más tarde le conectaron con el capataz que le dio buen trabajo en el invernadero. Gente de
bien, humilde, con la que pudo compartir el pescado sa-
lado y las sabrosas migas, migas semejantes al cuscús,
con sardinas y olivas y uvas. Migas que le devolvieron las
fuerzas y le permitieron volver a ser aquel Mohamed
que durante tanto tiempo se había entrenado en su tierra para la travesía. «Yo hablar español, poquito español,
yo entenderme. Amigo español Alhozaima enseñó a mí.
Yo ver televisión española. Yo amar España. Yo querer
también Almería. Amigo mío, amigo que también venía,
también entrenado, no pudo llegar. Raro. Raro que mujer se salve, mujer más débil, mujer bruja o fantasma».

Pero ellos le animaron y Mohamed se acercó al fin y,
cuando estuvo cerca, le habló en su lengua y ella movió
la cabeza. Desde lejos los hombres contemplaban la escena y Paquito comentaba en voz alta: «Seguro que le

reconoce, seguro que le gusta escuchar una voz que al fin entiende». Pero Mohamed se quedó allí parado, como si una barrera le separara de la mujer que mantenía ahora los ojos bajos y que se había cubierto todo el rostro con la manta del cura, avergonzada o púdica ante la presencia del muchacho. Los hombres desde lejos percibían el azoramiento de Mohamed. «¡Qué va a reconocerle –decía Antonio– si está pa' allá! El mar le ha vaciado el cerebro. El chico afirma que ella es Fátima, pero ella, si fue Fátima, ya no sabe ni quién es. Ella, os lo digo, ya no es de este mundo». El viejo Antonio, sabio y cabezón, decía que no con la cabeza: «Si lo sabré yo». Virgen o santa, salida de las aguas como una premonición, como una advertencia. «Demasiados muertos, muchos muertos; el mar se los traga, pero el mar nos la ha devuelto a ella, para que sepamos que las cosas no están bien, que no es bueno que...», rezongaba el Antonio, y los demás asentían mientras veían cómo Mohamed se apartaba de la mora y se dirigía de nuevo hacia ellos caminando cabizbajo con las manos metidas en los bolsillos de la chupa vaquera. «Se quedó muda con el mar –decía Paquito–, muda y tal vez sorda. ¿Cómo no va a conocer a su paisano?». Y cuando Mohamed llegó hasta ellos todos querían saber. «¿Es la Fátima que decías o no es la Fátima?», inquiría nervioso el Constantino, hombre de mucho navegar, hombre de pocas palabras, provocando con su curiosidad la sorpresa del grupo, ya que el Constantino apenas demostraba interés por nada que

no fueran sus redes; sólo alguna vez le venían como recuerdos de parajes lejanos, de puertos con mujeres de caderas anchas y labios generosos, sólo de vez en cuando, cuando el coñac desataba su lengua y los recuerdos y mezclaba parajes fabulosos, barcos enormes de gran calado. Constantino había sido marinero en un barco mercante durante casi veinte años, olvidando el oficio de pescador que sólo había recuperado a su regreso a la aldea. Fijo siempre en las redes, Constantino, experto en repararlas y callado, ajeno a toda la vida del pueblo, a los rumores y a las cosas. Sólo de vez en cuando, pero esa noche no era el coñac sino el anhelo de una respuesta, que todos esperaban, el que le impulsaba a preguntar, también él, ¿por qué no?, intrigado por la mora, también pendiente de las palabras entrecortadas y mal dichas de Mohamed. «Sí que es la Fátima. Lo juraría con permiso de Alá. Pero es una Fátima cambiada. La Fátima que yo vi era más joven, más...». Dejó la frase sin acabar y todos completaron las caderas más firmes de la mujer, la piel más tibia; quitaron las arrugas de los ojos y las huellas de lágrimas en las mejillas: una mujer hermosa y cálida, erguida, con los pechos firmes y las manos diestras. «Era joven y bien puesta la Fátima que yo vi. Y cha... cha... cha... charlatana. No paraba de hablar. Nosotros mareados de tanta charla y el marido desconfiado. Mujer que habla mucho, mujer que hay que vigilar. Pero ella, la Fátima que vi, estaba contenta, emocionada con el viaje, animada y animaba. Ella decía: "Todo bien, boni-

to viaje, buena noche, buena luna". Cantaba canciones para el niño, para que se durmiera y no tuviera miedo. Ella bonita voz. Esperábamos y todos nervios, muchos nervios. Ella tranquila. Ella hermosa y joven. La mujer –y señalaba Mohamed hacia la sombra– arrugas, la mujer edad, mucha edad, no sé cuánta. Distinta. No parecida, no igual a la Fátima que yo vi». Y los hombres asentían y se cruzaban miradas de «¿ves?, ya te lo he dicho», una Fátima maga, una mujer de ninguna parte, salida de las aguas. «Mucho sufrir –dijo el Antonio– seca la piel y pone canas», y Mohamed encogió los hombros, dando a entender que podía ser, pero que él no habría asegurado, que su reconocimiento ya había concluido y que no decía ni que sí ni que no, que de lejos parecía la Fátima, pero de cerca podía no serlo.

La sombra de la mujer allá lejos, inmóvil, recortada contra el azul oscuro del horizonte, ligeramente iluminada por la luna. «Hay algunos que vuelven –dijo Paquito–, vuelven del más allá», y el Constantino, que esa noche estaba extrañamente animado, dijo: «Yo sé que vuelven. ¿No han de volver?», y todos sabían que pensaba en aquel marinero errante que visita puertos y se pasea sobre las aguas, aquel espíritu o espectro que él llegó a conocer en un puerto del norte, allá por los años cuarenta. Pero ninguno quería volver a oír de labios de Constantino la historia del marinero que salió de las aguas, de ese muerto viviente que no se permitía descanso y que podía confundir al marinero en tierra y qui-

tar la razón al marinero que dormía plácidamente sobre
la cubierta, dejándose mecer por el mar.

Pero de aquel reconocimiento y de aquellos temores
hacía mucho tiempo, y la mujer permanecía allí sin que
nadie se inquietara ya por su presencia. De vez en cuando en la Fonda María, la mujer del cartero dejaba correr
los rumores o se ponía patética y decía: «Si a mí la mar
se me llevara un hijo y un esposo que tenía la fuerza de
un roble, ¡quieta iba a estarme yo! ¡Bastante hace ella
con soportar lo que tiene que soportar! Yo no sé si está
loca o está cuerda. Pero a veces, cuando la veo allí fija, me
dan ganas de ponerme a su lado y... no sé, quedarme allí
quieta a su vera, porque yo sé bien lo que es perder a un
padre y a un abuelo, ¡que el mar es muy suyo y muy trai-
cionero!, y no sabe el que no lo ha pasado lo que es el dolor, lo que es la desesperación, lo que es...». Y las mujeres
se distraían por un momento de sus tareas y pensaban en
el hijo que salió a la mar, en el marido que aquella noche, ¡Dios mío, qué angustia!, volvió tarde, o aquella vez
en que la barca del Felipe vagó a la deriva para acabar es-
trellándose contra el acantilado y los hombres llegaron a
la playa ateridos de frío y agotados de tanta lucha con el
mar, o aquella otra en que tuvieron que rescatar a Blas
o cuando el Marcelino perdió su barca y perdió su pierna, enredada en la hélice. Pasaba un ángel sobre el grupo y entonces todas comprendían a la mora y se ponían
en su lugar y la mora era como una proyección de sus
miedos y una especie de garantía de pacto con las aguas.

Fantasma, aparición o santa o virgen morena, contagiaba su añoranza, y los muertos familiares, los náufragos, presas no devueltas de las aguas tantas veces inclementes, revoloteaban con sus murmullos, asentándose en la cabeza de las mujeres que creían oír, como tal vez escuchaba la mora, los lamentos de todos los desaparecidos, en esa aldea que desde siempre vivía del mar y para el mar.

Aquella mañana, una mañana de junio de esas de mar revuelto y fuertes vientos de poniente, el Lucas, que había madrugado para esperar el regreso de la barca que salió a la sardina, vio a la mujer doblada sobre el cuerpo y corrió al pueblo a avisar del portento: «Que el hijo de la mora ha regresado –gritó–, y que ella le tiene en su regazo y que le acuna y parece que le canta, que yo lo he visto, que es verdad lo que digo: un niño grande de cabello rizado, que le tiene tumbado sobre las piernas y que le mece». El revuelo de las mujeres y de los hombres, y la palabra «milagro» entre los dientes. Uno tras otro y con respeto se fueron llegando a la playa que estaba naranja y plata con la luz del amanecer, y allí permanecía la mujer crecida sobre la arena, hecha Piedad que sostenía el cuerpo bruno del muchacho sobre sus sólidas piernas abiertas como cuna y con sus manos limpiaba la sal y quitaba las algas prendidas del cabello. Un cuerpo de hombre joven medio desnudo, miguelangelesco y bien torneado que recibía los primeros rayos del sol y resultaba hermoso, desplomado sobre las rodillas de la ma-

dre. El Antonio, desde lejos, movió la cabeza y dijo: «Ése no es su hijo. El Mohamed contó que tendría unos nueve años y ése es un mozo hecho y derecho. El marido tal vez. ¿Pero cómo va a regresar el marido después de casi cuatro años?».

El sol se alzaba sobre la playa y envolvía con su luz más dorada al grupo de la mujer, que sostenía el cuerpo yerto sentada sobre la arena. El cuerpo vomitado por las aguas era oscuro, del color del ébano, y relucía, limpio y suave, una mancha negra y brillante, espléndida sobre el manto de franjas rojas y moradas de la mujer. «Te digo que está muerto, que es otro más de los muchos que escupen las aguas últimamente, que no tiene nada que ver con la mora, que ése es de tierra más adentro, del Senegal o del Congo o de sabe Dios dónde», explicaba cauto Marcelino, mientras los demás se iban acercando sin atreverse del todo a interrumpir el canto de la mora, que dejaba caer sus lágrimas sobre el rostro tan redondo y perfecto del Cristo africano. La mujer tenía enredados los dedos en los bucles, tan negros y prietos, y se mecía hacia adelante y atrás. «A lo mejor no está muerto todavía; alguien debería acercarse y hacerle el boca a boca», sugería Felipe, que había presenciado ya el rescate con vida de muchos otros que en un primer momento parecían perdidos. «Te digo que es fiambre –repetía el Antonio–, y habría que quitárselo a la loca para proceder como hay que proceder, y alguien debería llamar a la autoridad para que se hicieran car-

go». La mujer, ajena al corro de curiosos que se iba formando a sólo pocos metros de distancia, besaba ahora las mejillas del muchacho tan oscuro de piel, y todos pudieron ver su sonrisa, la sonrisa de una madre que acaba de escuchar las primeras palabras balbucidas por su hijo: ta, ta, pa, pa, ma, ma; una sonrisa suave, complacida. «Nuestra señora de los naufragios, virgen de las pateras, madre amantísima, ruega por nosotros», comenzó a murmurar la mujer de Antonio, cayendo de rodillas en la arena, y una a una todas las mujeres fueron postrándose, mientras los hombres inclinaban la cabeza. Y se hizo un silencio de misa de domingo, y la mora cubría el cuerpo del hijo con el manto de franjas rojas y moradas, y sólo se escuchaba el sonido del mar, un aleteo rítmico del ir y venir de las olas que convertía a la playa en catedral, encendida por los rayos del sol cada vez más poderosos. Y entonces la mujer depositó con cuidado el cuerpo en el suelo, se puso de pie, ya sin su manto, y todos pudieron ver la delgadez de sus caderas, sus escuálidos brazos y la silueta doblada de su cuerpo famélico. Y la mujer de Antonio fue hasta su casa y cuando regresó se acercó hasta la orilla y dejó caer junto al cuerpo del joven el geranio recién cortado, ese geranio amoratado que cultivaba en una gran lata a la puerta de su casa, y poco a poco una a una se fueron acercando las mujeres del pueblo con su ofrenda de flores amarillas y rojas y violetas y una de ellas, la Clara, se atrevió más y cerró los ojos del muchacho, tan blancos y desorbitados en

medio de aquella piel tan negra. Y el rezo de las mujeres se unió al bramido terco del mar y sobre el cuerpo del muchacho, que yacía en tierra, una gaviota blanca y negra volaba haciendo círculos, paloma marina, soplo del amor, y alguien creyó escuchar una voz que decía: «Éste es mi hijo muy amado». Fue tal vez la voz rotunda de la mujer que brotaba ronca desde las entrañas tan frágiles de aquel cuerpo desmadejado, una voz ancestral que más bien –así lo comentaban después las mujeres con una mezcla de arrobo y temor– parecía proceder de las nubes y repicar entre la espuma, creando eco, reverberando contra las casas blancas. Y entonces ella, la mujer, sin que nadie hiciera nada por detenerla, comenzó a caminar hacia las aguas y se adentró despacio en el mar. Y su túnica de algodón dejaba traslucir su cuerpo de espina, una línea vertical y limpia sobre el azul que cada vez se iba acortando más hasta llegar a ser un punto oscuro sobre la tranquila superficie de las aguas, una cabeza morena diminuta y despeinada que al instante dejó de verse. En la playa todos permanecían quietos, sin hacer un solo gesto para detenerla, como había estado la mujer quieta y fija durante tantos meses: era como si una mano invisible los detuviera, un cristal transparente les impidiera el paso o un gas, diluido en el aire, los hubiera convertido en estatuas, impidiendo cualquier movimiento. Las mujeres velaron al cuerpo del ahogado durante todo el día y toda la noche y, cuando las autoridades se llevaron el cuerpo, metiéndole sin ninguna

consideración en aquella bolsa de plástico negra, hicieron un pequeño túmulo con los guijarros de la orilla en el lugar exacto donde la mujer había velado durante tanto tiempo y donde después había descansado el cuerpo inerte del joven africano.

Desde entonces todo el que pasa añade un guijarro al modesto túmulo y algunos dicen que, si uno se detiene un momento y mira hacia el mar, puede escuchar el lamento o la plegaria o la canción de cuna de aquella a la que ya todos llaman la Virgen de las pateras, nuestra señora de los naufragios.

ENTRE EL CIELO
Y EL MAR

Ignacio Aldecoa

Era la tercera vez en la mañana. Los niños volvieron a acercarse. El ruido de la mar se confundía con el unánime grito de los que hablaban. Unos segundos de silencio y la monótona repetición como un gruñido o como un estertor: «aaa-ú». La red iba saliendo lentamente a la áspera playa. Su dulce color de otoño, roto por la lucecilla plateada de un pescado muy chico o por el verde triste de un alga prendida en sus mallas, dividía la oscura desolación de grava menuda; cerca cabeceaba la barca vacía.

Los niños pisaban la red. Pedro había asumido la labor de espantarlos. Decía una palabrota y hacía que corrieran apenas unos metros para pararse enseguida y volver confianzudamente a poco. Pedro tenía entre los labios el chicote de un cigarrillo y les miraba superior y hostil, porque era casi un hombre y trabajaba.

En el copo había un parpadeo agónico y blanco de pescado y se movía la parda masa de un pulpo con algo indefinible de víscera o de sexo. Un último esfuerzo. Los pescadores se inclinaron más; luego se irguieron en silencio y contemplaron el mar.

La tercera vez en la mañana. El señor Venancio, el de la nostalgia de los tiempos buenos de la costera, dio una patada al pulpo, que retorció los tentáculos, y, al fin, medio dado la vuelta, los extendió tensamente, abriéndose como una rara flor.

—Si llegamos a una peseta por cabeza, vamos bien —comentó.

Los demás siguieron en silencio. Habían oído y habían olvidado. Estaban acostumbrados, aunque no resignados, como creían otras gentes del pueblo. De pronto, uno de ellos comenzó a cantar en el vaivén de la ira y el ridículo. Pedro se aproximó al pulpo y principió a jugar cruelmente con él.

—Déjalo ya —dijo el señor Venancio.

Pedro sintió algo como vergüenza que le ascendió hasta los ojos y le hizo humillar y distraer la mirada en un pececillo que cogió entre los dedos. No, no le debía de haber dicho aquello el señor Venancio delante de los chiquillos, que le miraban envidiosos. Pedro era pescador, y sabía que tenía su parte en el pulpo y un indudable derecho a jugar con él o a darle una patada como el señor Venancio. No tuvo tiempo de pensarlo mucho.

–Dale la vuelta a la moña, Pedro, y échalo en el cesto.

Los chiquillos contemplaron admirados el trabajo de Pedro en cuclillas sobre el animal.

–Cabrón –dijo Pedro, y luego se levantó con el pulpo flácido, pendiente de sus dedos índice y medio de la mano derecha, los tentáculos colgantes formando una masa inerte, salvo en sus delgadísimos extremos, que todavía se retorcían.

El señor Venancio hablaba con los compañeros:

–Yo hubiera tirado el lance hacia el puntal; puede que allí hubiéramos sacado algo más. Como siga esto así, vamos a comer piedras. Tres veces en una mañana, y ni siquiera para comprar pan...

Pedro fingía interesarse en la conversación de los mayores sobre el jornal, porque para eso era pescador; pero sabía que no le importaba demasiado. Llegaría a su casa y tendría algo que comer. Para llevar de comer estaba el padre y no él. Acaso un trozo de pan y un rebujón de pescado frito, pero ya era bastante. Desde pequeño –contemplaba su infancia sin haber salido de ella como algo muy distante– había comido poco, a veces nada, mas siempre había tenido el derecho a llorar, a protestar por la escasez. El que no lloraba ni protestaba era su padre, que lo miraba todo con unos ojos muy pequeños, como queriendo llorar y protestar con odio.

–Pedro, lleva el cesto a la vieja y que se dé prisa en vender todo ese lastre.

Pedro se bajó los pantalones largos de color de arcilla, recogidos a medio muslo.

–¿A la tarde afanamos? –preguntó.

–Se verá. Hay que contar con la mar. Te avisará, al pasar, Luciano.

Los pescadores extendían la red sobre la playa. Algunos niños se divertían cogiendo pececillos minúsculos enmallados; otros iban detrás de Pedro tocando el pulpo temerosamente. Pedro se volvía hacia ellos.

–Largo muchachos; ¿es que nunca habéis visto un pulpo?

Les lanzaba arena con los pies.

–Largo, largo, largo...

Dijo una frase obscena...

Llegó donde la vieja. La vieja estaba sentada en el escalón del umbral de la casa. Miraba distraída.

–Nada, ¿verdad? –dijo.

–Poco; se dio mal toda la mañana –contestó Pedro.

–Bueno, deja eso ahí; ahora saldré a ver lo que dan. Venancio quiere muchas cosas. Ya te puedes ir; aquí no pintas nada.

La vieja tenía un genio malo. Solía beber. Bebía aguardiente, a veces con agua, a veces con pan, mojando en la copa migas que amasaba entre los dedos y arrancaba de un corrusco guardado en uno de los profundos bolsillos de su delantal. Pedro no se había marchado todavía.

–Que ya te puedes ir –repitió la vieja.

Pedro caminó hacia su casa. Iba pensando en el mar. Le gustaría ser pescador de mar, dejar de pescar desde la playa. Le gustaría salir con las traíñas y estar encargado en ellas de los faroles de petróleo. Y, sobre todo, hablar del viento de Levante. Decir al llegar a casa, con la superioridad del trabajador de mar: «Como siga esto así, vamos a comer piedras. El levante nos ha llenado la traíña tres veces de mar. Si no llega a ser por el señor Feliciano, nos vamos a fondo». Y decir esto mirando a sus padres alternativamente. Ver los ojos del padre casi tristes, casi alegres; y los de la madre, temerosos; y contar a los hermanos cómo una morena le tiró un muerdo y él le dio con el cuchillo de partir el cebo en la cabecilla de bicha, y la tuvo a sus pies retorciéndose durante más de dos horas.

Le llamaban los amigos que estaban jugando con cajas de cerillas.

–¿Juegas, Sánchez?

Estaban en corro sobre el sucio principio de la playa.

–Ahora no; voy a casa. Esta tarde tenemos faena.

Y una voz:

–Los de la *Tres Hermanos* han venido hasta arriba de pesca. Nadie sabe cómo se las han arreglado. Es el señor Feliciano, que tiene ojo de gato para esas cosas.

Pescar en la traíña del señor Feliciano era el deseo de todos los muchachos de la playa. Pero el señor Feliciano no llevaba muchachos en su embarcación, porque pensaba que estaría mal que un niño ganase por ir con él más

que su padre, que pescaba de playa o que estaba en otra lancha con poca fortuna.

Al pasar junto a la taberna de Sixto, se asomó.

–Hola, padre.

El padre de Pedro y el señor Feliciano estaban celebrando la pesca. Se había vendido bien en Vélez.

–¡De modo que tú ya andas en la labor! Bueno, hombre, bueno –dijo el señor Feliciano.

–Aprendiendo –aclaró el padre.

Pedro miraba fijamente al señor Feliciano.

–¿Quieres una copa? ¿Qué tomas?

–Un pintao –respondió Pedro.

–Pon al chico un pintao –gritó el señor Feliciano–. ¿Qué tal se dio hoy? Venancio sabe mucho; hay que largar donde él diga. Él sabe mucho de eso. Claro que las playas andan mal de pesca... Vete haciendo ojo. El año que viene, que Paco se marcha al servicio... Bueno, ya hablaré con tu padre; ya se lo diré a él cuando sea.

Dejaron de hacerle caso y siguieron hablando de toreros, a los que no habían visto nunca torear. Pedro se bebió un vaso y dijo adiós. Al salir, el padre le llamó:

–Dile a tu madre que ya voy para allá.

Pedro movió la barbilla y cerró los ojos, asintiendo.

La madre de Pedro estaba sentada en el escalón del umbral de la puerta. Cosía algo. Preguntó:

–¿Qué tal se os dio?

–Mal, madre.

–Traes hambre. Anda, pasa. Encima de la hornilla hay pescado. Ojo, que hay que repartirlo. ¿Has visto a tu padre?

No daba lugar a las contestaciones; hablaba rápida, andaluzamente.

–Estará tomándose sus copas. Lo mismo da sacar buen jornal que malo. Hoy de juerga, mañana de queja. Así va todo.

–Hoy han tenido suerte –comentó Pedro–; el señor Feliciano tiene ojo de gato para la pesca.

–El señor Feliciano no tiene familia que mantener como tu padre; se puede gastar lo que gane con quien le dé la gana.

–Puede que el año que viene... Paco se marcha al servicio. Ha dicho que hablará con padre. En casa de Sixto...

–Los hombres debían pensar más las cosas cuando se casan. Creerá que os voy a alimentar de aire.

–Cuando Paco se marche al servicio... Me ha dicho que vaya haciendo ojo...

–Vendrá cuando quiera, claro está, y supongo que bebido.

–Me ha invitado a un pintao. Aprecia al señor Venancio. Dice que hay que hacerle mucho caso en los lances, porque sabe mucho de eso... Lo que pasa es que las playas...

Pedro miraba a través de la puerta la playa y el mar. La madre dejó un momento la labor.

–Sin comer no se puede trabajar. Anda y come algo.

Pedro seguía mirando la playa y el mar.

–Aviva, que ya te quedará tiempo para trabajar durante toda la vida.

Pedro entró lentamente en la cocina. En el rescoldo de la hornilla había un plato de porcelana desportillado con un montón de pescado. Sobre los azulejos partidos, media hogaza de pan. Cortó un trozo y mascó sin ganas. La ventana de la cocina daba a una calle de polvo y suciedad, hecha entre dos filas de casas de una sola planta. Al sol del otoño dormitaba un perro. Las moscas se agolpaban en huellas de humedad. El vecindario vertía el agua sucia en la calle. Pedro apretó dos o tres pescados sobre el pan y salió a la puerta que daba sobre la playa. Mascaba, lenta, concienzudamente. Volvió la vista a la derecha y vio a su padre, que se acercaba. Dos de los hermanos pequeños de Pedro venían cogidos de sus manos. El padre sonreía. Llegó.

–Hola, María –hablaba lentamente–; hoy hemos salido bien. Tengo una buena noticia para ti, Pedro: Feliciano ha hablado con Venancio. Hoy te vas a venir con nosotros.

Pedro apretaba el pan y el pescado fuertemente. El padre continuó:

–De prueba. Te encargarás de las farolas; es sencillo. Ya te enseñaremos.

–Ya sé, padre.

–Bueno, te enseñaremos de nuevo, aunque digas que ya sabes.

El padre entró en la casa. Los hermanos de Pedro quedaron con la madre. La madre comenzó a hablar en voz baja, rabiosamente. Dijo por fin:

–A ver si ahora te haces un zángano como los otros, Pedro.

Pedro no la escuchaba. Entró en la cocina, donde el padre estaba comiendo.

–¿Qué ha dicho de mí, padre?

–Lo dicho, que te vienes esta noche con nosotros; que cree que te puede hacer un sitio. Ya puedes hacerlo bien...

–Pero no ha dicho nada más.

El padre dijo con extrañeza:

–¿Qué quieres que dijera, criatura? Ha dicho lo que ha dicho y es bastante.

Pedro volvió la vista.

–Podía haber dicho algo.

Pedro dejó la cocina.

Andaba ya por la playa. Iba mirando las embarcaciones varadas. Aspiraba el olor de la brea, el de las redes puestas a secar. Se acercó a la traíña *Tres Hermanos*. De vez en vez mordía el pan y el pescado. Dio una vuelta en torno a ella, pasando lentamente la mano vacía por sus costados. Terminó el pan y el pescado. Se tendió al sol. La lancha daba una breve sombra de mediodía pasado.

Pedro cerró los ojos. Los abrió. Las olas acababan suavemente en la playa. Cerró los ojos y escuchó como un gruñido o como un estertor: la mar.

MEDITERRÁNEO

José Luis Sampedro

Fue aquel verano en que me dejé atraer por los cursos de la Universidad de Toulouse, en La Villette. De todo el programa –Bergson, castillos templarios en Siria (con proyecciones), poesía provenzal y cosas parecidas–, apenas me interesaba nada; pero La Villette era entonces, según me habían dicho, un puertecito mediterráneo desconocido por los turistas, y uno podía estar seguro de no encontrar ni gran casino, ni yates, ni grutas prehistóricas en los alrededores.

Arena virgen, barcas al sol y remendadores de redes; nada de paseo junto al mar con barandillas de cemento. Al pie de las casas las aguas quietas y olientes del puerto viejo, faluchos atracados, fornidas pescadoras. De los muelles partían callejas en cuesta, con avíos de pesca en los zaguanes y ropa tendida en las galerías. Brillaban escamas de pescado en los mofletes de un chiquillo que se reía de mí. El primer día deambulé por el mercado y

acabé tomando el aperitivo en el *Cafe du Commerce*, dejando deliberadamente para el atardecer esas calles donde suena un piano (*Fascination, valse tzigane*) y el paseíto de acacias con parejas enamoradas.

Pero por la tarde, luego de la siesta, me sentí ágil y decidí escalar el acantilado; estaba seguro de lo que arriba me esperaba: libre viento del largo, rugido de resaca entre las rocas, cielo surcado de gaviotas y eriales de brezos achaparrados.

Así es que me llevé una sorpresa al ver alinearse unos absurdos hotelitos en un paseo asfaltado hasta el «belvedere», donde se alzaba el municipal monumento *aux morts de la Grande Guerre*. Incongruentes arquitecturas normandas, suizas, provenzales y hasta modernistas, en forma de buque o de casa azteca. Sólo eran iguales los insignificantes jardincillos, con su floración de postal iluminada. Seguí hasta el «belvedere» por contemplar el mar, pero decidido a regresar por algún sitio que no fuera aquel estúpido paseo. Más valdría dar la vuelta tras las casas, por donde pudiera haber algo interesante: perros o basureros. Me introduje, por tanto, entre dos tapias minúsculas. El caminillo se estrechó, torció y... Me detuve de pronto, respetuoso y, admirado, ante un increíble jardín, entre cuyos altos árboles impresionaba una casa. Sentí como si me estuvieran presentando a una anciana gran dama y como si ella me contemplara desde todo un pasado extraordinario.

Un tejado en descuido, una torre, una verdadera casa. Persianas desvencijadas, desconchones y grietas, pátina de tiempo. Y un jardín con pinos, mirtos, adelfas y viejísimos rosales. Trascendía por la verja un efluvio antiguo y pantanoso, olor de cripta que me oprimió con el secreto que carcomía la casa.

Un jardinero leía. Junto a él yacía oxidada, símbolo de aquel jardín en perdición, una azada. Ni oyó chirriar la verja ni tampoco mis pasos. Traje de pana y manos rugosas, sí; pero los dedazos pasaban las páginas delicadamente; el curtido cuello era frágil, y la expresión muy noble. Tan cortés como un gran señor estrafalario aficionado a jardinear. Al acercarme sentí crecer mi asombro: lo que estaba leyendo era el *Obermann*, un tomito dieciochesco que me mostró abierto por aquel pasaje de la carta VIII: «Me he detenido sobre una roca para no ver más que el cielo, que comenzaba a velarse de bruma. He mirado los castaños, he visto hojas que caían... Entonces me he acercado al arroyo como si temiese que se hubiera secado, pero continuaba fluyendo».

El jardinero me guió sin inconvenientes por entre mirtos polvorientos. Al abrirme la puerta recibí una más intensa bocanada del efluvio interior. El vestíbulo flotaba en la verdosa luminiscencia derramada desde una ventanita de viejos vidrios emplomados. Las antiguas maderas tenían ya algún panel resquebrajado, y la escalera de roble se perdía en penumbra. A medida que

cruzaba aposentos me parecía ir remontando esclusas hacia un ambiente aún más remoto.

Entré, al fin, como en el fondo de un pozo. Era el suelo de la torre, cuyos dos pisos habían sido quitados para que un largo péndulo colgase desde la cúpula hasta casi tocar una gran mesa, cuyo redondo tablero era un espejo. Una enorme prensa y un horno eléctrico ocupaban dos ángulos. Mi guía me abrió otra puerta y oprimió un conmutador. Al pasar sentí que me hundía en el corazón de aquella casa.

Estantes de obras científicas rodeaban las paredes. Una mesita sostenía un aparato –tubos, latón y níquel– y, al lado, una caja de cristal encerraba el cadáver de una gran mariposa negra. Unas cortinas opacas, de laboratorio fotográfico, cerraban totalmente el hueco de la ventana. En el profundo silencio parecían sonar cuchicheos.

La luz fluía de una pantalla sobre la antigua mesa, encorvada como si leyese por encima de un hombro invisible las cuartillas llenas de caligrafía eslava.

El ambiente se resistía a los gestos. Yo, quieto, sentía concentrarse en mí lo desconocido... Supe de pronto que algo extraordinario había estado alguna vez allí, sobre el nogal de la mesa, en el círculo de luz; tan extraordinario, que su influencia perduraba, haciendo latir mi sangre en las sienes y en los oídos como a golpes de címbalo.

Todo en el estudio fluía hacia allí, y allí terminaba como un río. Los libros, los manuscritos rusos, la ma-

riposa negra, las cortinas y la luz flotaban hacia aquel vórtice...

Cuando, al fin, tuve voluntad para salir, me desconcertaron las nubes, el viento, la luna. Inexplicablemente era de noche. Vagué más tarde por la playa, donde, bajo la luna, mi cuerpo tenía menos sentido y menos realidad que mi nítida sombra. Mi alma se inclinaba sobre un foso insondable más fascinador que la luz para un insecto. Y cuando regresé a la residencia ya iba un pescador por las pinas calles voceando a los compañeros para salir a la mar.

En días sucesivos sólo pude averiguar que la casa fue de un químico ruso desaparecido años antes. El jardinero la conservaba mientras se resolvía el expediente de presuntos herederos. Afortunadamente llegué a intimar durante el curso con Henri Rochechouart, bibliotecario y administrador del último barón, que seguía como conservador en el castillo-residencia. Y una tarde en que estábamos ambos en el «belvedere», de espaldas al monumento –pobres muertos ya suplantados–, comprendí de pronto, sin saber cómo, que estábamos pensando en lo mismo.

En efecto, Henri había tratado al ruso: un químico y médico que perdió su cátedra en Tula al estallar la revolución. Henri me lo describió bajo, moreno como un napolitano y de ánimo muy variable: tan pronto perezoso y lánguido como diabólicamente agitado.

Le conté a Henri mi visita a la casa, intentando –tan vanamente como en este relato– explicarle mis sensa-

ciones en aquel aposento asfixiante, aislado del mundo por las negras cortinas de la ventana.

–Sí –contestó Henri–, siempre las tenía echadas. Odiaba el mar; puso además vidrieras dobles para no escucharlo.

–Entonces ¿por qué vivía en esa vieja casa de los acantilados?

–El odio al mar sólo estalló después –replicó Henri, que sonrió cuando yo dije «vieja» casa–. Al principio analizaba minerales de toda la comarca, pero acabó limitándose al barranco de Gréville. ¿Lo conoce? Es un paraje sombrío, un socavón del río, donde aflora una greda blancucha, irisada, con venas metálicas, de la que se hizo transportar a su casa varias carretadas. Después de tratarla en unos aparatos traídos de París la arrojaba al mar. Yo le conocí por entonces, al visitarle para defender las tierras del castillo, que había invadido en sus excavaciones. Me recibió en su estudio, sentado a la misma mesa de antigua apariencia que usted conoce. En vez de cortinas...

–¡Cómo apariencia! –interrumpí–. Yo distingo las maderas antiguas, y puedo asegurarle que aquella mesa tiene siglos.

–Yo también observé entonces –dijo Henri sonriendo– que la mesa «era» antigua. Pero yo sabía que aquellos muebles eran recientes, lo mismo que la casa, sin construir aún cuando yo vine a La Villette. Igual que el jardín, plantado después. Sin embargo –siguió tras una

pausa concedida a mi asombro–, no tuve tiempo en aquella visita de pensar en todo eso. Me sentía flotando inexplicablemente sobre una pleamar vital, cuyas ondas tenían por centro una esfera de plata colocada sobre la mesa del estudio. Era aquella esfera, sí, la que me hacía sentir al químico, a sus palabras y a las cosas como meras sombras flotantes, demasiado lentas para mis avivados sentidos. El tictac del reloj se iba retrasando, mientras en mí se aceleraba el tiempo con jubilosa precisión. Al fin descendí nuevamente a este mundo y le oí pedirme permiso para seguir extrayendo aquella tierra, que era extraordinariamente radiactiva. Empezó a hablarme de sus investigaciones. ¡Cómo cambió su voz!

Henri calló un momento.

–Me parecía escuchar a un nuevo doctor Fausto. A pesar de mi formación literaria, yo comprendía sus científicas y complicadas explicaciones gracias a aquel divino saber que la esfera de plata me infundía. Pues mi espíritu se cernía sobre los siglos como el águila sobre las llanuras y alcanzaba a todas las lejanías... No, ninguna droga como aquella influencia.

En un salón, Henri no hubiera continuado, pues su voz tocaba fondos de confidencia; pero la brisa marina disipó su silencio.

–Supe después que aquella esfera contenía una nueva sustancia descubierta por el ruso y dotada de una increíble propiedad: la de actuar como catalizador positivo del tiempo. Resulta difícil explicarlo: no lo aceleraba, pero

agrandaba su carcoma. El hecho es que cuando el péndulo de la torre se balanceaba y se acercaba a la esfera, su trayectoria temblaba además transversalmente, sin que por eso fuera más lenta la oscilación. En los seres vivos, aquella sustancia parecía estimular las transformaciones por radiación de energía, pero sin envejecer los coloides orgánicos. Usted lo ha vivido: el refinamiento del jardinero es un producto de esa influencia. En numerosas experiencias, la madera y el papel resultaron muy sensibles: los muebles, los libros, un violín moderno y vulgar, del que yo mismo saqué sonidos de instrumento de museo... También me hizo probar un vino «viejísimo» cosechado el año anterior. Incluso el cristal, la porcelana y las joyas se modificaban, aunque más despacio. Poco a poco me hice amigo del ruso. Él se sentía comprendido y yo estaba lleno de interés. Pero advertí que se iba tornando huraño. Empezó a salir por el campo, siempre a los mismos parajes, llevando su esfera de plata en una bolsa. Iba también a una caverna marina, donde, según dijeron luego las gentes, pasaba largas horas con una *dame de mer*, una especie de sirena local. Pero no me di cuenta de que estaba loco hasta mi última visita, en la que charlando sobre filosofía griega aludí al «antiguo mar heleno». Al oírme estalló su obsesión y me arrastró febrilmente a la ventana, mientras con palabras atropelladas calificaba de literaria toda atribución de antigüedad al mar. Quise objetarle que la tierra envejece realmente y que los geólogos hablan de

modelados antiguos, pero me interrumpió babeando. «No me importaría que los montes fueran eternos –vino a decir–; al fin, son piedra muerta. ¡Lo insultante es esa inmortal juventud, esa espuma, esa brisa, esa onda jubilosa y azul recién derramada de la concha de Afrodita!». Su voz se apagó en amargura, y olvidado de mi presencia, cayó en un sillón... Me retiré, y luego supe que aquella tarde mandó poner las cortinas que usted ha visto y las dobles vidrieras. Desde aquel día –concluyó Henri– paseó incansable con su esfera por la orilla del mar. Incurrió en puerilidades: desde este mismo promontorio, entonces sin urbanizar, sumergía la esfera atada con una cuerda, mientras él permanecía inmóvil horas enteras. Hasta que un día desapareció, sin que nadie le volviera a ver. Y con él desapareció la esfera de plata.

El chapoteo de la resaca llenó nuestro silencio. Sólo al cabo de un rato formulé mi pregunta.

–Algunos creen –contestó– en una mera huida al interior, pero nadie lo vio marchar. Los pescadores afirman que se lo llevó la *dame de mer*. Yo coincido con ellos, pues no encuentro más respuesta que ésa.

Y señaló hacia el borde.

Abajo, en el abismo, espumeantes remolinos festoneaban de espuma el acantilado. Venían desde alta mar ondas magníficas, henchidas de azul, y se desataban rompiendo en ronco fragor de libertad. Vivían un breve ardor y se extinguían.

Una tras otra, incansablemente, desde aquel horizonte siempre dorado, luminoso, divino, sin traducción humana.

Sobre el piélago

Rosa Chacel

Podría intentar este relato tomando como pauta alguno de los convencionalismos aceptados: una confesión obtenida del protagonista, unas memorias, o bien la simple observación del autor espiando de cerca o de lejos al personaje: no adoptaré ninguno de ellos. Si pretendiese hacer hablar al sujeto cuya aventura intento relatar, tendría que adoptar el lenguaje que corresponde a una mente muy simple. Si la relatase según observación propia, tendría que aducir detalles externos que enturbiarían el esplendor de la visión íntima, intacta, inexpugnable.

Pero si he hablado de lenguaje no es porque la dificultad esté ahí: con cualquier lenguaje puede un hombre expresar lo que llega directa o indirectamente a su pensamiento. He querido sólo hacer notar que en este relato usaré términos o formas que, siendo de todo punto imposibles en el sujeto, den idea del orbe ex-

celso al que su simple pureza fue un momento tangente.

Antes, daré los imprescindibles datos sobre la existencia real, edad, nombre y traza de un hombre que salía en un bote de remos todas las mañanas del puerto de Sóller.

Se llamaba Mauro, tenía poco más de treinta años, talla mediana, rubio, los ojos del color del vidrio ordinario, esto es, sin color. No tenía el tipo balear; probablemente descendía de extranjeros. En el cráneo, pequeño, ancho sobre las orejas, el pelo abrasado por la sal le formaba mechones casi blancos, y la ropa, sobre todo la camisa, abierta junto al cuello tostado, tenía siempre la limpieza acerba que corroe y descarna el hilo en la ropa de los marineros. Por su aspecto, parecía un hombre de mar, pero no lo era. No tenía ningún establecimiento propio: traficaba a su modo, traía y llevaba productos de los pueblos vecinos. Decían que trabajaba con los contrabandistas, esto no es seguro. El caso es que todas las mañanas desamarraba la barca antes de que se levantase la llama del día, y volvía ya de noche, trayendo algún fardo que arrastraba hasta la puerta de su casa; metía la llave en la cerradura, entraba y se encerraba por dentro, solo. Porque vivía solo; era soltero.

Todos los detalles anteriores conducían a este último. No contará para nada en el resto de la historia el color de sus ojos ni su modo de vestir; todo ello pretende sólo constituir la forma externa de un hombre

célibe, casto, o más bien virgen, pues la historia lo exige así. Me apresuro a advertir que en la historia tampoco contará para nada su castidad, y casi añadiría que ésta no hace más que corroborar el color de sus ojos. En suma, una y otro no son más que dos evidencias de un secreto singular.

En general salía por el lado izquierdo –el puerto mira al Norte– y costeaba la isla hacia poniente; se internaba en alguna cala: lo que hiciese mientras estaba en tierra no importa. En el camino gastaba de ordinario dos o tres horas, y siempre estaba dispuesto para volver bastante antes de ponerse el sol. Remaba hacia oriente teniendo ante sí el poniente con sus dramáticos celajes, pero no le afectaban, porque miraba sólo el mar inmediato. Iba con el mar, marchaba por él como el que marcha por la llanura; el ritmo de los remos era como un paso largo, y el ruido que hacían al cortar el agua semejante al que hacen los pies en la grava. Se adentraba en la soledad del mar, que al ir avanzando iba agrandándose, con lentitud y silencio, como hacen eclosión las flores.

Cuando había calma, a veces, veía muy cerca de él las aletas de los delfines que emergían, se alzaban y volvían a hundirse. El bando, en su marcha sinuosa, al aflorar, parecía una enorme rueda dentada con cuchillas de pizarra, que fuese rodando bajo el agua y que de cuando en cuando asomase el borde armado de filos grises. Se les oía resoplar, pero no levantaban ni rumor ni espu-

ma: cortaban el agua nacarada con sus aletas oleosas y rodaban siempre unánimes; se hundían, aparecían más lejos y volvían a desaparecer. Ésas eran las tardes de calma; en algunas de ellas la luna se levantaba en el horizonte desmesurada y turbia.

Otros días soplaba el viento y se picaba el mar; entonces brotaban a su alrededor olas pequeñas, que venían a chocar contra la barca, y Mauro las miraba nacer innumerables, imprevisibles, porque brotaban aquí y allá, sin norma, pero a fuerza de contemplarlas llegaba a ver cómo se engendraban unas a otras. No seguían una corriente, como cuando se precipitan sobre la playa; hervían por todas partes como si legiones de vientos agitasen la superficie de las aguas con el soplido de sus bocas. Por todas partes se formaban hoyos que, al no poder ensancharse por la proximidad de otros semejantes, alzaban sus bordes, que culminaban en espuma, y esa espuma se derramaba por la pendiente del agua que se había alzado, derrumbándose con ella la pendiente misma y convirtiéndose en sima, que iba hundiéndose hasta encontrar otra corriente contraria que la obligase a alzarse de nuevo y bordearse de espuma y derrumbarse, y así implacablemente por toda la extensión del mar.

Ocurría a veces que, contra lo previsto, se alzaba bruscamente una ola más grande junto al remo; venía como por detrás del bote en el momento en que él no miraba para aquel lugar, y la veía sólo al sesgo, pero distinguía su galope, veía el rizo múltiple de su tropel, que

seguía un momento a la barca y se borraba sin dejar huella. Duraban tan poco tiempo aquellas olas alzadas que, cuando volvía la cabeza, ya no estaban, pero Mauro conservaba el recuerdo del rumor y de la irrupción de su blancura como la imagen viva de las criaturas del piélago. En la espuma inorgánica se armaban formas vivientes, que asomaban y huían murmurando con apresurada ocultación.

Para Mauro existían ciertamente; las conocía sin reflexionar en ellas, y, cuando aparecían, todos sus pensamientos se anulaban, no le quedaba espíritu más que para atenderlas; pero cuando su atención vigilaba, no aparecían. Al rato de esperarlas, la atención cedía y el pensamiento comenzaba a gravitar sobre cualquier punto. Entonces surgían, galopaban junto al remo y volvían a desaparecer. Luego, al acercarse a la costa, el esfuerzo necesario para vencer la resaca borraba su recuerdo, y, luego, el arrastrar la barca por la arena, el cargar con el fardo y los remos le llenaban la cabeza de ocupaciones concretas. Sólo los pies guardaban aún algún tiempo aquella especie de ensueño que era el contacto con el mar. Al saltar de la barca, pisaban las conchas rotas, punzantes, evitaban los temibles erizos, y algún perro que guardaba otras barcas venía a jugar con ellos mientras duraba la faena. Mauro, con la mente, ya no estaba en aquello; no sentía tampoco la noche que se extendía infinitamente iluminada: subía unas gradas de piedra, torcía a la izquierda y entraba en su casa. Allí continua-

ban los quehaceres: primero encendía la lámpara de carburo, después prendía unas piñas en el hogar, cortaba el pan para la sopa y ponía unos pimientos entre la ceniza, junto a las brasas. Comía. Sobre la mesa, sin mantel, el cuchillo: una faca que llevaba siempre consigo y que quedaba abierta mientras comía, aunque no fuese a ser usada. En ella dejaba reposar la mirada con confianza. Era una navaja pequeña, como para cortar pan, no tan pequeña que no pudiese cortar otra cosa, pero llevaba escrito en su contorno que era para eso, pues todas las armas llevan en su perfil su sino. Mauro se miraba en ella durante todo aquel silencio; después la cerraba y apagaba la luz; después, extendía las piernas bajo la sábana, y no siempre se dormía en el acto: el mar volvía a poseerle en esas horas.

Se adaptaba mal al reposo: el ritmo del mar estaba impreso en sus músculos, y creía que su sangre misma se mecía dentro de las venas como un líquido en un vaso sin equilibrio. El mar era él mismo, era su cuerpo, y su cabeza era él sobre el mar. Volvía a navegar por el latido de su corazón, que se dilataba sin límites como la soledad, y todas las cosas vividas cuando iba sobre el agua revivían en esas horas, más próximas. Lo que había visto brotaba ahora dentro de sus ojos con la fuerza de las semillas que germinan y rompen su propia piel. Brotaban las imágenes y se ramificaban adquiriendo proporciones que en la realidad no habían tenido.

Una caña flotante, una rama de pino, que, sobresaliendo apenas del agua, por el reflejo rojo de los rayos del sol tendidos ya sobre el mar, semejaba un hombro cobrizo... Cuando la rama venía acercándose a la barca, Mauro la había mirado pensando en la postura que pudiera tener el resto del cuerpo sumergido, pero al aparecer en la memoria ya no seguía el proceso de raciocinio que llegaba a descubrirla como rama: se detenía en el instante en que era hombre, y desenvolvía sus gérmenes de horror.

Primero en conjunto, después detalle por detalle, aparecía el cuerpo deducido: claro a través del agua, definible, más aún; omnivisible, pues, aunque lo contemplaba recorriéndolo en sucesivas etapas, no necesitaba cambiar de punto de vista para conocer las partes que lógicamente quedaban del otro lado, y no lo veía tampoco como se ve un objeto transparente: su visión era sólo comparable a la que cada uno tiene del cuerpo propio, del propio rostro que en cualquier posición, a cualquier luz, o sin luz, sabe, siente, realiza la expresión que tiene, ve el ademán de cada miembro y la superficie que lo recubre por todos lados. Pero el cuerpo que veía en aquella forma no era el suyo, sino, por el contrario, uno muy distinto; era un cuerpo oscuro, muy largo, muy delgado; no venía tendido entre dos aguas sino casi vertical; el hombro izquierdo era lo que asomaba y el punto que hacía de proa en su marcha oblicua. La cabeza parecía caer con el cuello como truncado hacia el lado

derecho, y le colgaba de la frente una especie de tur-
bante que llevaba enrollado y que el agua iba desanu-
dando. Porque era un árabe: sus facciones, muy pálidas,
eran las de un agareno, con los labios amoratados entre
la barba rala. El pecho, después de los hombros anchí-
simos, era seco, enteramente seco, como gastado en la
guerra o en la piedad. El vientre sumamente estrecho estaba desnudo y parecía ceñido; las piernas quedaban dentro de unos calzones desgarrados; por un roto se veía
una de las rodillas, pero Mauro podía ver también la
otra, que no asomaba por ningún roto: estaba dentro de
un calzón entero, y sin embargo la veía. Veía igualmente las plantas de los pies, que iban como colgando, y la
espalda, que quedaba hacia abajo, pues siempre seguía
considerándole como si le mirase desde un punto en el
que el hombro izquierdo fuese lo más próximo. En las
manos era solamente donde Mauro podía apreciar que
había sufrido; era lo único que en toda la figura parecía
relajado y desposeído; era lo único donde se notaba que
faltaba la vida, y por lo tanto esa vida era lo único que
quedaba más allá de él, lo que no se podía ver. Mauro
no conseguía hacer revivir la imagen; le encontraba alguna semejanza con los cargadores de los lejanos puertos de Chipre o Creta, y pensaba en las faenas, en la
agitación de los muelles; lograba concebir otros seres semejantes a aquél, yendo y viniendo al borde de las dár-
senas, pero a él no. La imagen se dejaba trasladar, pero
sin cambiar de posición. Era inútil conseguir, mediante

una concentración mental, la visión de uno de esos días soleados en los que los hombres se consumen en ese rito, entre olvido y ansiedad, que es el trabajo. Cuando hacía por llevarle allí, le veía igualmente semitendido, con la cabeza colgando hacia la derecha, con la mano izquierda abandonada sobre el abdomen y el hombro un poco levantado en el sentido de la corriente que lo llevaba. Le veía pasar en esa postura por entre filas de cajas de naranjas, fardos de lana, pellejos de aceite... La lucha llegaba así a su más alta tensión, pues era lucha en realidad. Luchaba dentro de sí mismo por deshacer la visión, como quien se empeña en deshacer un nudo, y no lograba solucionarla. No lograba infundir en aquella imagen de muerte una transformación liberadora. Entonces sus fuerzas cedían de pronto al olvido, con ese cambio brusco, ligero y profundo con que olvidan los irracionales, y se hundía en el sueño.

Los que no conozcan la soledad del mar no intenten comprender. Estas visiones, navegadas sobre el piélago de la propia vida, mecidas por el ritmo de la sangre, sólo las conocen los que se aventuran en el mar fiados en la resistencia de sus brazos; están tejidas como en la trama de un velo, que resulta invisible mientras los sentidos quedan enajenados por el esfuerzo, mientras el crujir del remo en la banda ocupa la atención en total. En esos momentos, sus componentes van sumándose, uniéndose en una red, tupida e impalpable como la malla de la nie-

bla; sus colores se condensan, tácitamente fluorescentes, sin que la conciencia pueda percibirlos, y luego, en la oscuridad del ensueño, resplandecen. El hombre que boga solo, cuando el agua parece hinchada por la pleamar, cree a veces bogar por la superficie de una burbuja que puede estallar en cualquier momento, y cada pensamiento suyo tiene la dimensión abismática de un último pensamiento; con cada mirada a la costa impasible, busca un testigo para sus movimientos; pues cada uno de ellos puede ser un último movimiento; en cada despojo que pasa a la deriva, ve la imagen de una muerte irremisible, de una agonía intacta de toda presencia, y esa muerte, vivida en el secreto de la soledad, deja en él una impronta tan íntima como la huella de la inspiración o la del amor. No intente comprender quien no lo conozca.

En cuanto amanecía la luz traspasaba el cielo y el mar. Mauro desamarraba la barca y remaba hacia el oeste. Cuando el sol llegaba al fondo de las calas, a través de diez brazas de esmeralda o zafiro, las medusas conservaban aún el color del alba. Pero ya dijimos que no hay porque hablar de lo que Mauro pudiese hacer al desembarcar en las calas, y debemos repetir que todo lo que llevamos dicho no contará para nada en la historia que nos propusimos relatar. Lo que sucede es que, cuando la historia de un hombre es la historia de un instante, conviene engarzar grandiosamente su infinita pequeñez en el universo.

La historia es ésta. Una tarde, al volver, el mar empezó a picarse, el agua se puso de un verde oliva floreado de blanco, y el cielo se cubrió en gran parte de cirros plomizos. En algunos lugares quedaron espacios como lucernas, enteramente limpios de nubes, y la luz se precipitaba por ellos en haces o focos que caían abruptamente sobre el mar oscuro como en el interior de una casa en ruinas. Mauro remó siguiendo la costa, pero no demasiado cerca de ella para evitar los escollos, sólo visibles cuando el mar está sereno; no se sintió ni un momento en peligro; calculó con acierto que la borrasca no le alcanzaría antes de llegar a Sóller si remaba con fuerza, y remó briosamente. Fiado en su destreza maquinal, iba contemplando la borrasca que se desarrollaba lenta y lejana allá donde el cielo y el mar parecían oprimirse, unirse tan estrechamente como las hojas de un libro en el lomo, y donde el resplandor de la centella abría de pronto inmensos espacios, descubría montañas, castillos y caminos luminosos. Entretanto, remaba con lento y mantenido impulso, y el compás del remo, si no es posible decir que atrajese toda su atención, iba subyugando todo su ser. Las fantasmagorías de la tormenta, aunque la distancia apenas se alterase, iban pareciéndole cosa pintada, telón cambiante y movedizo, mientras que la barca y todo lo que le quedaba próximo se hacía cada vez más trascendente. El remo entraba en el agua y Mauro se absorbía en la contemplación de aquel contacto mutuo, repetido cien mil veces. Las olas se alzaban

formando simas oscuras y crestas de espuma: nada más nuevo, nada más sorprendente que cada una de ellas. Su rumor era como el paso inconfundible de alguien que siempre mantiene ardiendo a la constancia en su espera. Empezaron a galopar junto al remo, y Mauro no volvió la cabeza para sorprenderlas: hundió la mirada en el interior del bote, donde no había más que el bulto de sus compras, una lata vacía y un cordel. Repasando con los ojos estos objetos neutros, las atendía sólo a ellas, contemplándolas en su murmullo como si en él estuviesen escritos sus formas y ademanes, y cuando desaparecían, dejando sólo una espuma, ya sin impulso, escuchaba el burbujeo hasta que se extinguía, como palabras de una charla que sólo la ligereza de la huida le impidiese comprender.

La atmósfera cerrada de la tormenta, los haces de luz que hasta a las olas les daban opacidad y espesor al concretar violentamente su contorno, hacían que la existencia de las presentidas criaturas marinas fuese para Mauro más que nunca evidente. Sabía que iban con él y no hacía por sorprenderlas; al contrario, se aproximaba, se entregaba a ellas, concentrándose en sí mismo, y creyó que sólo por azar había vuelto la cabeza. Volvió la cabeza, como tantas otras veces, al percibir la forma blanca que se alzaba, entrando al sesgo en el foco de su mirada. Volvió la cabeza y la vio: la vio porque estaba allí, mirándole.

No es posible afirmar la presencia de aquel ser más que diciendo que estaba allí, y no es necesario advertir

que estaba, sin permanecer. Brotó su forma, inflamada de elocuencia como la zarza ardiente. La ola se levantó múltiple, aunque informe, armónica, como un tropel de caballos o como una ráfaga de deidades, como una pléyade de fuerzas arrebatada por una sola fuerza. En su nacimiento unánime llevaban la ley de su unánime sucumbir: la curva misma que erguía y organizaba su aspecto se desenvolvía forzosamente en derrumbamiento. Encadenadas en una gloriosa obediencia, se hundieron todas, menos una: un jirón de voluntad se destacó sin desprenderse, y el núcleo de su poder miró a Mauro a los ojos.

Mauro no alteró el compás de su marcha, no vibraron sus nervios, no se aceleró ni se detuvo su pulso; lo que se detuvo en él fueron las tres potencias de su alma. La visión de aquel ser, la conjunción de sus ojos con aquella mirada no le sacudió como un fenómeno asombroso; le enajenó; le raptó a la realidad aboliendo en él toda facultad de recordar, comprender o desear otra cosa. Las olas se sucedieron a su alrededor, cerca y lejos de la barca durante todo el trayecto, y la travesía terminó como todas; más dura en la cercanía de la costa que atrae y rechaza, hundiendo al fin la quilla en la arena con violento empuje.

Con el orden cotidiano inalterable, los remos al hombro, el fardo arrastrando agarrado por la cuerda, cruzó la playa, pero los pies no tantearon como otras veces el peligro; marcharon insensibles sobre las conchas rotas y

aplastaron los erizos. Mauro se detuvo un momento, soltó el fardo para arrancar uno de ellos que se le había clavado en el borde del pie. Siguió, subió las gradas de piedra, entró en la casa, cerró con llave y encendió la lámpara. Entonces se quedó un rato indeciso, como queriendo recordar algo que necesitaba hacer antes de nada; dio dos o tres vueltas, andando con dificultad, porque el pie le dolía persistentemente, y apoyándolo apenas en el suelo, procurando recordar a través de aquel dolor lo que tenía que hacer, hasta que al fin pudo darse cuenta de que lo que tenía que hacer era sacarse las espinas.

Arrancó fácilmente las que sobresalían de la piel pero otras estaban enterradas en ella, y sentado en el suelo, con la lámpara en un taburete, fue sacándolas una por una con la punta de una aguja gruesa, apalancando entre la piel y la espina, y, cuando se rompía, ahondando hasta empujar desde debajo de ella.

La operación le era harto conocida, pero esta vez la intensidad del dolor le fascinaba, y, fijo en él como en un punto brillante de poder hipnótico, contemplaba la imagen de la deidad hundida en su alma. Perseguía con la punta de acero la punta calcárea que se escapaba hacia adentro, hasta que parecía llegar a la coyuntura de la primera falange, y ya enteramente tragada por la carne, sólo lograba tocar con el extremo de la aguja su dureza de vidrio.

Perdió la noción del tiempo: todo esfuerzo era inútil. No sólo el esfuerzo de sacar la espina, sino todo es-

fuerzo, cualquier otro esfuerzo. El dolor era como una estrella: era un rumbo. Dejó la lámpara sobre el banco, se arrastró hasta la cama y se dejó caer en ella.

Sería artificioso decir que Mauro miró al otro día la vida como un hombre que ha muerto en alta mar, pero es exacto, o al menos lo más exacto posible, decir que la miró como un hombre que se ha desposado con otra vida. La fue abandonando con pudor, a medida que fue dejando de comprenderla, y, sin alcanzar con su razón lo que pudiese haber en él digno de ser mirado por la divinidad, se redujo a ello.

El sol resecó las tablas del bote en la arena de la playa. Mauro veía desde su celda clarear el alba todos los días a la hora de coger los remos, pero nuevos deberes fueron borrando el recuerdo, y hasta fueron, con su monotonía, velando el esplendor de la ardiente entrega. El hábito le envolvió en su regularidad anónima, y el tráfico de un orden nuevo, aunque muy simple, reclamó su actividad.

Cuando esa opresión aflictiva, que en muchos es germen de la duda, le pedía una corroboración para su fe –entiéndase que no se la pedía racionalmente, sino como el cuerpo pide el alimento: con la nostalgia del sabor– bajaba por las rocas de la colina donde estaba el convento hasta la orilla del agua y allí se sentaba, tocaba el borde de su pie por entre la sandalia, en el punto donde se articula la primera falange, y encontraba co-

mo un pequeño clavo junto al hueso. Era como un estigma, era una señal que secretamente le marcaba como elegido. Apretándolo, lograba reavivar el dolor, y a su luz volvía a ver el brillo tenebroso de aquel momento en que la mirada del más allá le había herido.

Mar en calma

En una mañana azul y transparente, mientras una tranquilidad sobrenatural, muy diferente de cualquier bonanza estancada, reinaba sobre las aguas; mientras la larga y bruñida lámina del sol parecía un dedo de oro apoyado sobre el mar para encomendar secreto; mientras las olas resbalaban susurrando entre sí, en este profundo silencio de la esfera visible Dagoo vio un extraño espectro desde el palo mayor.

Herman Melville, Moby Dick, cap. LIX

DAMA DE MAR

Adriano González León

Después de vacaciones, el sol y las algas marcan su rostro. Trae nostalgias, caracoles y piedras de colores. Aún anda sin distinguir entre la calle y las olas. Persisten los peces sobre su cabellera, sigue silbando el viento salobre, y hay veleros que le inundan los ojos. Hace unos días, apenas, estaba tendida en una playa solitaria vigilada por alcatraces y gaviotas. El cielo desprendía sus cordajes, un olor a satélite, hierro viejo, maderas enturbiadas por la distancia. Ella también distante. Exigente en su abandono, deseable, metida en su silencio mientras la arena fina comenzaba a pasar sobre su cuerpo. Dama de mar, vista mil veces, mil veces ajena, una silueta en la roca y la mirada sobre ese sol que muere escandalosamente triste por las tardes.

Alguna vez fue el paseo por el malecón. Había ese lamento sobrecogedor de los barcos que parten. Ella agi-

taba el pañuelo. Las canciones han insistido sobre las despedidas. La dama de mar se va, levanta el brazo a babor... y acá la orilla retiene el golpe de las aguas, los desechos, un reflejo aceitoso y una música tenue:

> Mar, se me fue
> dijo adiós
> en tu azul lejanía...

Como gaviota, como bandera de la soledad, insistió el cancionista. Sólo resta el deseo, el azar prodigioso que nos permitirá encontrar en un puerto con bruma, la sirena que anuncie el abandono, los prospectos de las empresas navieras que permiten invención de aventuras. Pasan de puente a puente, de ensenada a bahía, a pájaro quebrantado por excesivo vuelo, preguntando, como Robert Desnos:

> ¿Dónde está la hermosa nadadora
> que tenía miedo del coral? Pero
> precisamente la nadadora
> se ha vuelto a dormir y me quedo
> frente a frente
> con el fuego y me quedaré
> toda la noche para interrogar
> al carbón con alas de tinieblas...

La dama del mar colecciona misterios, plumas, telas amarillas, juncos del Caribe y una extraña especie de líquenes que crece al sur de las islas Vírgenes. A ratos, fabrica animales con troncos abandonados, deja caer la arena para castillos fugaces, se sumerge apaciguadoramente en la nostalgia. A ratos corre, salta, abusa de la espuma. Finalmente es la caminata larga, las huellas marcadas en silencio y los reflejos que la ocultan. Rimbaud dio las claves para recobrar su imagen:

Cuando el mundo quede reducido a
un bosque negro
para nuestros ojos asombrados
–a una playa para dos fieles niños–
a una casa musical para nuestra
clara simpatía, te encontraré.

Pero la dama del mar ha rebasado escalas, ha roto los itinerarios. Escondida en sus sueños, maneja los navíos, suelta velámenes, se deja escoltar por los delfines. Todas las costas del mundo le salen al encuentro. Uno, entre tanto, siente los despojos del sol.

EN EL MAR

Luis Mateo Díez

El mar estaba quieto en la noche que envolvía la luna con su resplandor helado. Desde cubierta lo veía extenderse como una infinita pradera.

Todos habían muerto y a todos los había ido arrojando por la borda, siguiendo las instrucciones del capitán.

–Los que vayáis quedando –había dicho– deshaceros inmediatamente de los cadáveres. Hay que evitar el contagio, aunque ya debe ser demasiado tarde...

Yo era un grumete en un barco a la deriva y en esas noches quietas aprendí a tocar la armónica y me hice un hombre.

UNA PARTIDA
CON EL IRLANDÉS

Manuel Rivas

A la altura de mi litera había un calendario con una vaca y aquello me sentaba bien. A veces me quedaba dormido con la cara pegada al casco, procurando la caricia de una mano áspera y fría. El mar rumiaba a dos dedos de distancia y sentía un miedo infantil, el demorado afilar de cuchillos en la boca de un tiburón al acecho. La imagen de la vaca me llevaba a un mundo doméstico y protector, al mundo del aliento, el humo y el despertar de la casa. Yo nada tengo que ver con el mar, a no ser que estoy embarcado y soy uno de los tripulantes del pesquero *Lady Mary,* de bandera británica, antes llamado *A Nosa Señora,* con base en Marín.

Hay cinco irlandeses entre nosotros, aparte del capitán, que es inglés. No parecen saber mucho de pesca, pero están aquí por las leyes del Gran Sol. El que sabe es Vilariño, un patrón de Riveira. Uno de los irlandeses, el

más joven, lleva dos días conmigo, metido en el camarote, porque se abrió la mano en canal con un cuchillo de destripar pescado. Yo no tengo nada, absolutamente nada, sólo un diablo dentro, pero el patrón Vilariño dijo anda chaval, vete abajo, envuélvete en la manta y no te muevas de la cama pase lo que pase.

Este Vilariño parece un buen tipo, aunque raro. No bebe, no fuma y no suelta tacos ni trata a la gente por apodos. Además, reza. No debe de ser cristiano. La primera noche, después de salir del puerto, me dejó estar en el puente mirando el radar. Siempre me han alucinado los aparatos de luz. Vilariño no hablaba y parecía siempre expectante, como si aguardara algún mensaje familiar entre las interferencias de la radio.

No era eso. A ver si calla ese gallinero, dijo. Y la apago. Su camarote era un cuartucho en el mismo puente, y allí entró para, según él, hacer unas comprobaciones en la carta. Pero al cabo de un rato oí un murmullo, como una voz lejana que se resistiera a marchar de la radio. Pegué el oído a la puerta. Era Vilariño que rezaba, y lo hacía como quien habla con otra persona. Nunca oí a un hombre rezar así. Se lo comenté a Touro, el cocinero, y me dijo con mucho sigilo que era un tipo extraño.

–Es protestante. Por eso reza.

El irlandés que me acompaña en el camarote, el más joven, ya lo he dicho, lleva un pendiente dorado y el pelo tan largo que lo recoge en una trenza. Yo estoy

envuelto en la manta y procuro encogerme hasta que la cabeza me llega a las rodillas, pero él no. Casi no duerme, se estira en la cama y deja caer la frente hacía fuera, con los ojos muy abiertos.

El irlandés escucha música, eso dice, pero yo, hostias, sólo escucho los dentelleos del gran pez, ahí, a dos dedos de mi cabeza. Trato de hacérselo entender, pero él ni se entera del peligro. Me señala la vaca, la del almanaque de Suministros y Víveres, y casi me hace reír. No, coño, no, un pez con la boca así de grande. Pone cara de incrédulo y vuelve con su música.

Todos éstos son gitanos, me había dicho el Touro, desconfiado. Gitanos rubios, pero gitanos. Eran de la misma familia, y habían embarcado juntos. Ni puta idea de pesca, remató el cocinero, pero ojo con ellos, son como raposos. Nada de juegos, a la que te descuidas pierdes hasta la camisa. Pero llevo demasiado tiempo con él, con el del pendiente en la oreja, que ahora me despierta con unas palmadas, justo cuando el tiburón está a punto de perforar el casco, a dos dedos de mi cabeza y de mis ojos de espanto. El irlandés me hace una señal con un cubilete de dados en la mano. Al principio dudo, pero hay algo que me empuja. Al fin y al cabo, tiene una mirada amistosa y, si sigo así, embrujado, con este animal rabioso a punto de roerme el magín, me va a estallar la cabeza.

No será que no te haya avisado, me dirá seguramente el Touro. Ya no me queda un duro. El irlandés mue-

113

ve la mano sana con la habilidad de un tahúr. Se acabó, tío, ni blanca, ya no tengo nada. Fue entonces cuando señaló la vaca. ¿La vaca? ¿Quieres apostarte la vaca? ¿Un billete por la vaca? OK. Sonrió satisfecho: dos tiradas, *full* de ases y reyes. Me tiembla la mano: ¡Cielo santo, póquer! Con la vaca en el regazo, fui recuperando todo lo mío y gane todo lo que él quiso arriesgar. No nos dijimos nada. El irlandés volvió a su catre, y yo me quedé sentado, llorando en silencio, con la vaca mirándome de frente.

En toda la noche no apareció el gran pez. Había dejado de roer el casco, a dos dedos de mi cabeza. Ahora ya sabía cómo era el sonido del mar, un ir y venir de mamífero cansado, y me sentía feliz. Subí a cubierta. Faenaban envueltos en la niebla y me puse a trabajar con redoblado ánimo. Podía arrancarle la cabeza a los peces sin vomitar ni poner cara de espanto. Vilariño se acercó y me dio un pescozón.

–Pensé que ibas a volverte loco, rapaz, pensé que ibas a volverte loco.

Los frutos del mar

José María Merino

El cambio de la luz del día, los ocasionales ocultamientos del sol tras las nubes, apenas modifican la quietud del paisaje submarino. Las leves ondulaciones de las algas, las pequeñas corrientes lechosas que a veces empañan la visión durante un breve trecho, los brillos inesperados, no consiguen turbar esa densa paz, que parece infinita.

Mientras se deslizaba entre la masa de agua resplandeciente, al ritmo de los suaves aletazos de sus pies, él sentía que aquella tranquilidad sin plazo unificaba el pasado y el presente, convirtiéndolo en el tiempo de una única inmersión. Volvía a los años primeros de sus buceos, con aquellas endebles gafas de dos cristales que tan mal impedían la entrada del agua, y recuperaba también cada uno de los momentos de tantos veranos sucesivos.

Percibía cerca el bulto de su hijo y, aunque hubiesen pasado veintitantos años, era como si lo llevase a su lado por primera vez, cuando era un niño y apenas sabía utilizar el tubo respirador. Pero había ido creciendo a lo largo de aquella inmersión que enlazaba todos los veranos, aprendiendo a zambullirse y a respirar, a utilizar el fusil cada vez con mayor pericia.

Hubo una vez, cuando el chico tenía doce o trece años, que le había alarmado su sensiblería. Habían visto un pulpo moviéndose sobre una gran roca con sus crestas flotantes y el cortejo de pececillos que aprovechaban los pequeños restos de líquenes y algas que iban levantando sus tentáculos al desplazarse. Él se lo señaló y dispuso el fusil, pero el muchacho le hizo un gesto alarmado, sacó la cabeza y apartó la boquilla del respirador.

–¿Te pasa algo? –había preguntado él.

–¿Lo vas a matar? ¡No lo mates! –dijo el muchacho con un tono implorante que cancelaba de pronto la admiración infantil de tantos años.

Sin responder, él se había colocado de nuevo el respirador y, con una violenta sacudida, llegó junto al pulpo antes de que el animal se apercibiese de su presencia, fue acercando lo más posible a su cuerpo la punta del arpón, en esos instantes que deciden la suerte del cazador y la de la pieza, y disparó.

No miró los ojos del muchacho hasta que, alzados sobre la cornisa, tras vaciar el cuerpo del pulpo, golpea-

ba una y otra vez los tentáculos contra una roca plana para que perdiesen su rigidez.

–Somos depredadores –había dicho–, aprovechamos los frutos de la tierra y los frutos del mar. El hombre siempre ha sido así, es como ha conseguido sobrevivir e imponerse en el mundo. No me vengas con mariconadas.

El chico lo había aceptado y acabó disfrutando tanto como él del acecho de los peces, de su persecución, del disparo certero que ensarta el cuerpo plateado, y se acostumbró a las pequeñas agonías sanguinolentas que iban transcurriendo tan cerca de la propia boca, con los peces moribundos enganchados en la percha que cuelga del cuello como un glorioso collar mientras se continúa la paciente búsqueda de nuevas piezas.

Los días de pesca formaban así uno solo sin tiempo, desde la primera expedición en que él había salido solo, cuando apenas era mucho mayor que el chico, y desde que éste tuvo edad para empezar a acompañarlo, hasta la expedición de aquella mañana, en que una vez más los dos juntos iban merodeando lentamente a lo largo de una punta rocosa, en un islote solitario, mientras las mujeres les esperaban no muy lejos, tumbadas al sol en la popa de la motora, absortas en una conversación de perezosos murmullos que sólo interrumpían para las breves zambullidas refrescantes.

Siempre el hijo al lado, el compañero más adecuado para enaltecer su sentimiento de plenitud. Había atra-

vesado una pradera de posidonias y al sol de mediodía refulgía el verdor de las largas hojas donde se cebaban los pequeños sargos. Más allá había una zona de arena, un espacio cristalino donde un cardumen de salpas se iba alejando al compás del avance de ellos, y luego una masa de rocas cuya sombra interrumpía la claridad submarina con su brusca oscuridad.

El hijo le tocó el hombro con un gesto bien conocido y él volvió la cabeza, observó la señal de la mano que indicaba un punto más alejado y luego le vio sacar la cabeza con nerviosismo.

–Qué pasa –preguntó, tras sacar la cabeza a su vez.

–Allí, allí –exclamó el hijo–. Un pez enorme, he visto la cola un momento.

Quitaron el seguro a los fusiles y se aproximaron al lugar con sigilo, pero apenas había allí unos tordos y un serrano que, con la imprudente curiosidad de los de su género, permaneció mirando cómo ellos se acercaban.

Estaban en el extremo del macizo rocoso y era probable que el pez descubierto se hubiera ocultado al otro lado del escollo. Fueron pues doblando la punta lentamente y él se detuvo y contempló la cavidad que se abría en la parte posterior. Al descubrir la pieza tardó en comprender su naturaleza, incapaz de asumir que perteneciesen al mismo cuerpo la gruesa cola verdosa y el torso humano, con dos brazos y una cabeza.

La sirena estaba boca abajo y escarbaba en el fango del suelo con las manos, en una postura similar a la de

los salmonetes cuando buscan su comida. Permanecieron asomados tras la punta de roca, observando su afán, y luego se miraron y retrocedieron al resguardo de la cornisa.

–¿La has visto? –preguntó el hijo y él le miró a los ojos temiendo encontrar un reflejo de la sensiblería infantil, pero sólo vio una inmensa y temerosa extrañeza.

–Vamos a observarla –repuso–, con mucho cuidado de que no se espante.

Doblaron de nuevo con lentitud el extremo rocoso. La sirena tendría el tamaño de una muchacha muy joven. Estaba agachada en una masa de cascajo, llevándose algo a la boca con ambas manos. Los dos la contemplaron con asombrada cautela. La quietud sin tiempo del agua azulada le daba a su visión un aire de sueño, pero aquel ser era sin duda real.

La sirena terminó de roer y continuó su meticuloso escarbar en la arena del fondo. Se fueron aproximando a ella hasta que estuvieron casi encima. En un gesto instintivo, él estiró el brazo apuntándola con el fusil, pero la sirena debió sentir la insólita vibración, porque volvió hacia ellos el rostro y los miró con sorpresa espantada antes de alejarse con un coletazo, buscando refugio al pie de la masa de rocas, bajo un saliente donde su cuerpo se introdujo con facilidad. Sacaron las cabezas y se miraron.

–Vamos abajo –dijo él y ambos llenaron los pulmones, doblaron la cintura y sacudieron con fuerza las aletas, dirigiéndose al escondrijo.

La sirena estaba a unos seis metros de profundidad, en una cavidad estrecha, y les miraba con la boca abierta, una boca de pez, con dientes infinitos y diminutos. No era joven: el pelo tenía largos mechones blanquecinos y las arrugas del rostro y las manchas de la piel se correspondían bien con la extremada flacidez de los pechos. Subieron en busca de aire y en ambos vibraba la misma excitación.

–Cada uno por un lado –señaló él, y el hijo afirmó con la cabeza.

Llegaron cuando la sirena empezaba a escurrirse fuera de su refugio. Él acercó lo más posible el fusil a la parte superior de la espalda y disparó, y el hijo, enseguida, clavó su arpón más abajo, entre la piel y las escamas. Entonces la sirena retrocedió y quedó otra vez acurrucada bajo el saliente. Soltaron los fusiles, que quedaron flotando sujetos a los extremos de los arpones, y subieron a tomar aire, mientras contemplaban el fondo con avidez. Las nubecillas sanguinolentas se dispersaban en súbitas y sucesivas emanaciones, atrayendo a una multitud de peces e incluso a una pequeña morena.

–Voy a por ella –dijo al cabo el hijo y se sumergió mientras sacaba el cuchillo de la vaina.

Él bajó también y entre los dos consiguieron arrancar de su escondite a la sirena agonizante y subirla a la superficie. Dejó de boquear al poco rato, pero el aire le quitó a su cola el verdoso tornasol que lucía bajo el agua y puso enseguida su piel de un tono morado y

opaco. Muerta, la sirena tenía un aspecto bastante desagradable.

–¿Qué hacemos con ella? –preguntó el hijo.

–Por lo menos nos llevaremos esto –contestó él con alegre firmeza mientras iba cercenando cuidadosamente la gruesa cola a la altura de las caderas y limpiaba los intestinos con certeras cuchilladas–. Lo otro vamos a esconderlo por ahí, porque quién nos iba a creer si le dijésemos que habíamos cazado una sirena.

Las mujeres mostraron su admiración ante el tamaño de la cola.

–Tiramos la cabeza porque era muy fea –dijo él entre risas, mientras le guiñaba un ojo al hijo, que le miraba sin hablar.

Asaron una de las grandes rodajas en aquella barbacoa americana de gas tan cómoda, que funcionaba cerrada, y comieron. La carne era blanca y fina pero sabía un poco a cieno. Debía ser un poco indigesta, porque el hijo, que era delicado del estómago, se pasó vomitando toda la tarde.

Noctilucas

Enrique Anderson Imbert

E zequiel emprendió un largo viaje para ver si
así se libraba del Otro. Ya en Puerto Rico, de
San Juan fue a la villa de San Germán y por la
noche lo pasearon en lancha por la costa del sur, en la
Parguera. La brisa olía a errantes sargazos. Miríadas de
noctilucas flagelaban las bordas en ondas fosforescentes.
De golpe pararon los motores y cayó el ancla. Silencio.
Quietud. No más ardentías. El mar, negro negro.

Que tocara el agua, oyó que le decían (y adivinó que,
en la oscuridad, esa boca debía de estar sonriéndose).

No bien mojó los dedos, de los dedos se extendió en
página de algas una caligrafía de luces. Sumergió toda la
mano: al sacarla relumbraba como un aldabón de bronce
bruñido. Ahora con las dos palmas hizo llover para arriba: al asperjar el cielo una aureola vacante buscó su santo.

Que llenara ese cubo, oyó que le decía la misma voz
sonriente.

Ezequiel ya no dudó: el Otro no se había quedado en Buenos Aires, sino que seguía acompañándolo. Aunque siempre había presentido su presencia a las espaldas o en el fondo de los espejos, nunca alcanzó a verlo. Cogió el cubo, lo colmó y, volviéndose rápidamente, arrojó el agua. El agua, toda reverberante de noctilucas, chocó en el aire y bañó una forma invisible. Por un instante vio al Otro, revestido de una piel viva, fluida y dorada. Estaba de pie sobre la cubierta, como el fantasma de una estatua. El rostro era idéntico al de él, sólo que embellecido por una luminosa sonrisa.

Borrasca

Luego que las naves cubrieron el mar y mas no aparece ninguna tierra, cielo por todo y por todo agua, se paró entonces sobre mi cabeza una nube cerúlea llena de noche y tormenta, y el mar se encrespó de tiniebla. Al punto los vientos revuelven el mar y enormes se levantan las olas, nos dispersa el azote de un vasto remolino, escondieron los nimbos el día y cubrió una húmeda noche el cielo y los relámpagos aumentan en las rasgadas nubes, perdemos el rumbo y vagamos en las aguas ciegas.

Virgilio, Eneida, lib. III

LITERATURA

Julio Torri

El novelista, en mangas de camisa, metió en la máquina de escribir una hoja de papel, la numeró, y se dispuso a relatar un abordaje de piratas. No conocía el mar y sin embargo iba a pintar los mares del Sur, turbulentos y misteriosos; no había tratado en su vida más que a empleados sin prestigio romántico y a vecinos pacíficos y oscuros, pero tenía que decir ahora cómo son los piratas; oía gorjear a los jilgueros de su mujer, y poblaba en esos instantes de albatros y grandes aves marinas los cielos sombríos y empavorecedores.

La lucha que sostenía con editores rapaces y con un público indiferente se le antojó el abordaje; y la miseria que amenazaba su hogar, el mar bravío. Y al describir las olas en que se mecían cadáveres y mástiles rotos, el mísero escritor pensó en su vida sin triunfo, gobernada por fuerzas sordas y fatales, y a pesar de todo fascinante, mágica, sobrenatural.

MAR AFUERA

Julio Ramón Ribeyro

Desde que zarpara la barca, Janampa había pronunciado sólo dos o tres palabras, siempre oscuras, cargadas de reserva, como si se hubiera obstinado en crear un clima de misterio. Sentado frente a Dionisio, hacía una hora que remaba infatigablemente. Ya las fogatas de la orilla habían desaparecido y las barcas de los otros pescadores apenas se divisaban en lontananza, pálidamente iluminadas por sus faroles de aceite. Dionisio trataba en vano de estudiar las facciones de su compañero. Ocupado en desaguar el bote con la pequeña lata, observaba a hurtadillas su rostro que, recibiendo en plena nuca la luz cruda del farol, sólo mostraba una silueta negra e impenetrable. A veces, al ladear ligeramente el semblante, la luz se le escurría por los pómulos sudorosos o por el cuello desnudo y se podía adivinar una faz hosca, decidida, cruelmente poseída de una extraña resolución.

–¿Faltará mucho para amanecer?

Janampa lanzó sólo un gruñido, como si dicho acontecimiento le importara poco y siguió clavando con frenesí los remos en la mar negra.

Dionisio cruzó los brazos y se puso a tiritar. Ya una vez le había pedido los remos pero el otro rehusó con una blasfemia. Aún no acertaba a explicarse, además, por qué lo había escogido a él, precisamente a él, para que lo acompañara esa madrugada. Es cierto que *El Mocho* estaba borracho pero había otros pescadores disponibles con quienes Janampa tenía más amistad. Su tono, por otra parte, había sido imperioso. Cogiéndolo del brazo le había dicho:

–Nos hacemos a la mar juntos esta madrugada –y fue imposible negarse. Apenas pudo apretar la cintura de *La Prieta* y darle un beso entre los dos pechos.

–¡No tardes mucho! –había gritado ella, en la puerta de la barraca, agitando la sartén del pescado.

Fueron los últimos en zarpar. Sin embargo, la ventaja fue pronto recuperada y al cuarto de hora habían sobrepasado a sus compañeros.

–Eres buen remador –dijo Dionisio.

–Cuando me lo propongo –replicó Janampa, disparando una risa sorda.

Más tarde habló otra vez:

–Por acá tengo un banco de arenques –tiró al mar un salivazo–. Pero ahora no me interesa –y siguió remando mar afuera.

Fue entonces cuando Dionisio empezó a recelar. El mar, además, estaba un poco picado. Las olas venían encrespadas y cada vez que embestían el bote, la proa se elevaba al cielo y Dionisio veía a Janampa y el farol suspendidos contra la Cruz del Sur.

–Yo creo que está bien acá –se había atrevido a sugerir.

–¡Tú no sabes! –replicó Janampa, casi colérico.

Desde entonces, ya tampoco él abrió la boca. Se limitó a desaguar cada vez que era necesario pero observando siempre con recelo al pescador. A veces escrutaba el cielo, con el vivo deseo de verlo desteñirse o lanzaba furtivas miradas hacia atrás, esperando ver el reflejo de alguna barca vecina.

–Bajo esa tabla hay una botella de pisco –dijo de pronto Janampa–. Échate un trago y pásamela.

Dionisio buscó la botella. Estaba a medio consumir y casi con alivio vació gruesos borbotones en su garganta salada.

Janampa soltó por primera vez los remos, con un sonoro suspiro, y se apoderó de la botella. Luego de consumirla la tiró al mar. Dionisio esperó que al fin fuera a desarrollarse una conversación pero Janampa se limitó a cruzar los brazos y quedó silencioso. La barca con sus remos abandonados, quedó a merced de las olas. Viró ligeramente hacia la costa, luego con la resaca se incrustó mar afuera. Hubo un momento en que recibió de flanco una ola espumosa que la inclinó casi hasta el naufragio pero Ja-

nampa no hizo un ademán ni dijo una palabra. Nerviosamente buscó Dionisio en su pantalón un cigarrillo y en el momento de encenderlo aprovechó para mirar a Janampa. Un segundo de luz sobre su cara le mostró unas facciones cerradas, amarradas sobre la boca y dos cavernas oblicuas incendiadas de fiebre en su interior.

Cogió nuevamente la lata y siguió desaguando, pero ahora el pulso le temblaba. Mientras tenía la cabeza hundida entre los brazos, le pareció que Janampa reía con sorna. Luego escuchó el paleteo de los remos y la barca siguió virando hacia alta mar.

Dionisio tuvo entonces la certeza de que las intenciones de Janampa no eran precisamente pescar. Trató de reconstruir la historia de su amistad con él. Se conocieron hacía dos años en una construcción de la cual fueron albañiles. Janampa era un tipo alegre, que trabajaba con gusto pues su fortaleza física hacía divertido lo que para sus compañeros era penoso. Pasaba el día cantando, haciendo bromas o aventándose de los andamios para enamorar a las sirvientas, para quienes era una especie de tarzán o de bestia o de demonio o de semental. Los sábados después de cobrar sus jornales, se subían al techo de la construcción y se jugaban a los dados todo lo que habían ganado.

–Ahora recuerdo –pensó Dionisio–. Una tarde le gané al póker todo su salario.

El cigarrillo se le cayó de las manos, de puro estremecimiento. ¿Se acordaría? Sin embargo, eso no tenía mucha

importancia. Él también perdió algunas veces. El tiempo, además, había corrido. Para cerciorarse, aventuró una pregunta.

–¿Sigues jugando a los dados?

Janampa escupió al mar, como cada vez que tenía que dar una respuesta.

–No –dijo y volvió a hundirse en su mutismo. Pero después añadió–. Siempre me ganaban.

Dionisio aspiró fuertemente el aire marino. La respuesta de su compañero lo tranquilizó en parte a pesar de que abría una nueva veta de temores. Además, sobre la línea de la costa, se veía un reflejo rosado. Amanecía, indudablemente.

–¡Bueno! –exclamó Janampa, de repente–. ¡Aquí estamos bien! –y clavó los remos en la barca. Luego apagó el farol y se movió en su asiento como si buscara algo. Por último se recostó en la proa y comenzó a silbar.

–Echaré la red –sugirió Dionisio, tratando de incorporarse.

–No –replicó Janampa–. No voy a pescar. Ahora quiero descansar. Quiero silbar también... –y sus silbidos viajaban hacia la costa, detrás de los patillos que comenzaban a desfilar graznando–. ¿Te acuerdas de esto? –preguntó, interrumpiéndose.

Dionisio tarareó mentalmente la melodía que su compañero insinuaba. Trató de asociarla con algo. Janampa, como si quisiera ayudarlo, prosiguió sus silbos, comunicándole vibraciones inauditas, sacudido todo él de mú-

sica, como la cuerda de una guitarra. Vio, entonces, un corralón inundado de botellas y de valses. Era un cambio de aros. No podía olvidarlo pues en aquella ocasión conoció a *La Prieta*. La fiesta duró hasta la madrugada. Después de tomar el caldo se retiró hacia el acantilado, abrazando a *La Prieta* por la cintura. Hacía más de un año. Esa melodía, como el sabor de la sidra, le recordaba siempre aquella noche.

–¿Tú fuiste? –preguntó, como si hubiera estado pensando en viva voz.

–Estuve toda la noche –replicó Janampa.

Dionisio trató de ubicarlo. ¡Había tanta gente! Además, ¿qué importancia tendría recordarlo?

–Luego caminé hasta el acantilado –añadió Janampa y rió, rió para adentro, como si se hubiera tragado algunas palabras picantes y se gozara en su secreto.

Dionisio miró hacia ambos lados. No, no se avecinaba ninguna barca. Un repentino desasosiego lo invadió. Recién lo asaltaba la sospecha. Aquella noche de la fiesta Janampa también conoció a *La Prieta*. Vio claramente al pescador cuando le oprimía la mano bajo el cordón de sábanas flotantes.

–Me llamo Janampa –dijo (estaba un poco mareado)–. Pero en todo el barrio me conocen por «el buenmozo zambo Janampa». Trabajo de pescador y soy soltero.

Él, minutos antes, le había dicho también a *La Prieta*:

–Me gustas. ¿Es la primera vez que vienes aquí? No te había visto antes.

La Prieta era una mujer corrida, maliciosa y con buen ojo para los rufianes. Vio detrás de todo el aparato de Janampa a un donjuán de barriada vanidoso y violento.

–¿Soltero? –le replicó–. ¡Por allí andan diciendo que tiene usted tres mujeres! –y tirando del brazo de Dionisio, se lanzaron a cabalgar una polca.

–Te has acordado, ¿verdad? –exclamó Janampa–. ¡Aquella noche me emborraché! ¡Me emborraché como un caballo! No pude tomar el caldo... Pero al amanecer caminé hasta el acantilado.

Dionisio se limpió con el antebrazo un sudor frío. Hubiera querido aclarar las cosas. Decirle para qué lo había seguido aquella vez y qué cosa era lo que ahora pretendía. Pero tenía en la cabeza un nudo. Recordó atropelladamente otras cosas. Recordó por ejemplo que cuando se instaló en la playa para trabajar en la barca de Pascual, se encontró con Janampa, que hacía algunos meses que se dedicaba a la pesca.

–¡Nos volveremos a encontrar! –había dicho el pescador y, mirando a *La Prieta* con los ojos oblicuos, añadió–. Tal vez juguemos de nuevo como en la construcción. Puedo recuperar lo perdido.

Él, entonces, no comprendió. Creyó que hablaba del póker. Recién ahora parecía coger todo el sentido de la frase que, viniendo desde atrás, lo golpeó como una pedrada.

–¿Qué cosa me querías decir con eso del póker? –preguntó animándose de un súbito coraje–. ¿Acaso te referías a ella?

–No sé lo que dices –replicó Janampa y, al ver que Dionisio se agitaba de impaciencia, preguntó–. ¿Estás nervioso?

Dionisio sintió una opresión en la garganta. Tal vez era el frío o el hambre. La mañana se había abierto como un abanico. *La Prieta* le había preguntado una noche, después que se cobijaron en la orilla:

–¿Conoces tú a Janampa? Vigílalo bien. A veces me da miedo. Me mira de una manera rara.

–¿Estás nervioso? –repitió Janampa–. ¿Por qué? Yo sólo he querido dar un paseo. He querido hacer un poco de ejercicio. De vez en cuando cae bien. Se toma el fresco...

La costa estaba aún muy lejos y era imposible llegar a nado. Dionisio pensó que no valía la pena echarse al agua. Además, ¿para qué? Janampa –ya caían gotas de mañana en su cara– estaba quieto, con las manos aferradas a los remos inmóviles.

–¿Lo has visto? –volvió a preguntar *La Prieta* una noche–. Siempre ronda por acá cuando nos acostamos.

–¡Son ideas tuyas! –entonces estaba ciego–. Lo conozco hace tiempo. Es charlatán pero tranquilo.

–Ustedes se acostaban temprano... –empezó Janampa– y no apagaban el farol hasta la medianoche.

–Cuando se duerme con una mujer como *La Prieta*... –replicó Dionisio y se dio cuenta que estaban hollando el terreno temido y que ya sería inútil andar con subterfugios.

–A veces las apariencias engañan –continuó Janampa– y las monedas son falsas.

–Pues te juro que la mía es de buena ley.

–¡De buena ley! –exclamó Janampa y lanzó una risotada. Luego cogió la red por un extremo y de reojo observó a Dionisio, que miraba hacia atrás.

–No busques a los otros botes –dijo–. Han quedado muy lejos. ¡Janampa los ha dejado botados! –y sacando un cuchillo, comenzó a cortar unas cuerdas que colgaban de la red.

–¿Y sigue rondando? –preguntó tiempo después a *La Prieta*.

–No –dijo ella–. Ahora anda tras la sobrina de Pascual.

A él, sin embargo, no le pareció esto más que una treta para disimular. De noche sentía rodar piedras cerca de la barraca y al aguaitar a través de la cortina, vio a Janampa varias veces caminando por la orilla.

–¿Acaso buscabas erizos por la noche? –preguntó Dionisio.

Janampa cortó el último nudo y miró hacia la costa.

–¡Amanece! –dijo señalando el cielo. Luego de una pausa, añadió–. No; no buscaba nada. Tenía malos pensamientos, eso es todo. Pasé muchas noches sin dormir, pensando... Ya, sin embargo, todo se ha arreglado...

Dionisio lo miró a los ojos. Al fin podía verlos, cavados simétricamente sobre los pómulos duros. Parecían ojos de pescado o de lobo. «Janampa tiene ojos de máscara», había dicho una vez *La Prieta*. Esa mañana,

antes de embarcarse, también los había visto. Cuando forcejeaba con *La Prieta* a la orilla de la barraca, algo lo había molestado. Mirando a su alrededor, sin soltar las adorables trenzas, divisó a Janampa apoyado en su barca, con los brazos cruzados sobre el pecho y la peluca rebelde salpicada de espuma. La fogata vecina le esparcía brochazos de luz amarilla y los ojos oblicuos lo miraban desde lejos con una mirada fastidiosa que era casi como una mano tercamente apoyada en él.

—Janampa nos mira —dijo entonces a *La Prieta*.

—¡Qué importa! —replicó ella, golpeándole los lomos—. ¡Que mire todo lo que quiera! —y prendiéndose de su cuello, lo hizo rodar sobre las piedras. En medio de la amorosa lucha, vio aún los ojos de Janampa y los vio aproximarse decididamente.

Cuando lo tomó del brazo y le dijo: «Nos hacemos a la mar esta madrugada», él no pudo rehusar. Apenas tuvo tiempo de besar a *La Prieta* entre los dos pechos.

—¡No tardes mucho! —había gritado ella, agitando la sartén del pescado.

¿Había temblado su voz? Recién ahora parecía notarlo. Su grito fue como una advertencia. ¿Por qué no se acogió a ella? Sin embargo, tal vez se podía hacer algo. Podría ponerse de rodillas, por ejemplo. Podría pactar una tregua. Podría, en todo caso, luchar... Elevando la cara, donde el miedo y la fatiga habían clavado ya sus zarpas, se encontró con el rostro curtido, inmutable, luminoso de Janampa. El sol naciente le ponía en la me-

lena como una aureola de luz. Dionisio vio en ese detalle una coronación anticipada, una señal de triunfo. Bajando la cabeza, pensó que el azar lo había traicionado,
que ya todo estaba perdido. Cuando sobre la construcción, a la hora del juego, le tocaba una mala mano, se re-
tiraba sin protestar, diciendo: «Paso, no hay nada que
hacer»...

–Ya me tienes aquí... –murmuró y quiso añadir algo
más, hacer alguna broma cruel que le permitiera vivir
esos momentos con alguna dignidad. Pero sólo balbuceó–. No hay nada que hacer...

Janampa se incorporó. Sucio de sudor y de sal, parecía un monstruo marino.

–Ahora echarás la red desde la popa –dijo y se la alcanzó.

Dionisio la tomó y, dándole la espalda a su rival, se
echó sobre la popa. La red se fue extendiendo pesada-
mente en el mar. El trabajo era lento y penoso. Dionisio, recostado sobre el borde, pensaba en la costa que se
hallaba muy lejos, en las barracas, en las fogatas, en las
mujeres que se desperezaban, en *La Prieta* que rehacía
sus trenzas... Todo aquello se hallaba lejos, muy lejos;
era imposible llegar a nado...

–¿Ya está bien? –preguntó sin volverse, extendiendo
más la red.

–Todavía no –replicó Janampa a sus espaldas.

Dionisio hundió los brazos en el mar hasta los codos
y sin apartar la mirada de la costa brumosa, dominado

por una tristeza anónima que diríase no le pertenecía, quedó esperando resignadamente la hora de la puñalada.

(París, 1954)

El hombre
y los peces

Rodrigo Moya

Cuando el pargo blanco al fin se dejó arrastrar por la línea que con todo y arpón atravesaba su cuerpo, el buzo pensó que la captura submarina del día era suficiente. En realidad, había pescado más de lo necesario al usar su arma infalible para matar huachinangos, pargos, meros, cabrillas, y hasta dos pequeñas mantarrayas que pasaron ante él exhibiendo su nado majestuoso, como de águilas desplazándose sin prisa en un cielo líquido. La jaba estaba repleta de víctimas, muertas unas y otras agonizando. Para facilitarse los movimientos de ascenso hacia la superficie donde lo aguardaba el pequeño velero, se deshizo con cierto remordimiento del mero más grande, y de dos langostas cuyas antenas abatidas las hacían ingobernables.

Aun así, la cuantiosa captura que pendía más abajo, unida a su hombro por la cuerda de nailon, lo obligaba a un ascenso cuidadoso: pero conforme arreciaba la cla-

ridad, y cerca del talud donde era forzoso cuidarse de salientes y corales, los movimientos eran más fáciles. Casi agotados los tanques de aire después de una hora de inmersión, dio una mirada al profundímetro: estaba a seis metros bajo la superficie, y debía de contener las ansias de ascender más rápido, para más arriba hacer la obligada parada de descompresión.

Luego, cuando a tres metros bajo la superficie miraba distraído hacia el fondo mientras cumplía el tiempo de reposo para eliminar el nitrógeno de la sangre, sintió de pronto una vibración inusitada. Apenas escrutaba la superficie cercana en busca de la fuente del ruido, suponiendo que se trataba del motor de un barco, cuando se sintió violentamente empujado del sitio en que mantenía su precario equilibrio hidrostático. Una fuerza inexplicable le hizo perder en el primer impacto la aleta del pie izquierdo, su fusil neumático, y la línea de la que más abajo pendían sus presas. Instintivamente apretó el visor contra su rostro y mordió con angustia la boquilla portadora de los últimos minutos de aire comprimido. Sacudido por ese vendaval de ondas y turbulencias que le impedían moverse, vio horrorizado cómo una masa densa de peces, emergiendo de los torbellinos, lo rodeaba por todas partes. La luz se hizo mínima y móvil; entre corrientes repentinas y encontradas, con una oscuridad creciente, se resignó a morir, víctima –pensó– de un cardumen fantástico de peces carniceros.

Aferrado a su visor, incrustándolo casi contra su frente para no perderlo mientras rebotaba de un pez a otro, mordiendo ferozmente la boquilla del regulador y hecho un ovillo indefenso sin movimiento propio, veía en la penumbra la estampida de los peces embistiéndolo. Sin embargo, las esperadas mordeduras no llegaban. Aplastados contra su cara, contra su pecho, entre sus piernas, presionándolo por todas partes como un ejército compacto, los peces lo rodeaban y oprimían. Algunos parecían observarlo fugazmente cuando en su fluir convulso pasaban ante el cristal de su visor; a pocos centímetros veía los ojos saltones de los animales y distinguía sus cabezas boqueando. El espacio faltó. El aire de la boquilla apenas llegaba a sus pulmones. La masa natatoria enloquecida ocupaba cada palmo del espacio líquido y lo aprisionaba cada vez más. No pudo ya mover brazos ni piernas, atenazado por el cardumen hiriente. Su mano derecha quedó atrapada entre el visor y el muro vivo, y la izquierda permaneció soldada a su costado por la presión de los peces. Sintió coletazos apretados contra su pecho, su espalda y su cabeza. Como muñeco en el centro de una corriente feroz, fue tragado en un instante por la oscuridad donde sólo brillaban de pronto los cuerpos escamosos. Sintiéndose aplastado bajo la carga intolerable, incapaz de la más ligera flexión o del menor movimiento natatorio, se abandonó a su destino.

Lúcido pese a todo, poseedor de un valor sereno adquirido en la soledad de inmersiones prolongadas, en su

último trance pensaba más en el extraño fenómeno que en la cercanía de la muerte. Mientras percibía la vaga sensación de ser izado hacia la superficie por la masa compacta de peces, creyó descubrir la verdad: no era devorado por un pez, por cien o diez mil; no era mordido, sajado ni despedazado; su cuerpo permanecía intacto, si bien lacerado por el empuje sumado de los animales. Lo devoraba el cardumen; los peces lo habían atrapado así como él los capturaba y aprisionaba en la red de la jaba y eran engullido simultáneamente por miles de ellos. Como un todo, esa multitud turbulenta lo tenía apresado en su propio centro. Cada animal era la célula de un gigantesco organismo que deliberadamente, a pesar del caos aparente, le causaba una dolorosa muerte por compresión y asfixia.

Ahora entendía que la organización biológica de los seres marinos, observada desde los barcos pesqueros donde tantos años había trabajado como biólogo, no residía solamente en sus complejas conductas ante estímulos y respuestas, sino que eran capaces de algo más que buscar gregariamente las corrientes, las temperaturas, las profundidades y el alimento adecuado, o de huir aterrados como un solo organismo ante la embestida de orcas y tiburones. Esa fría organización animal podía elegir y acechar una presa, y más allá del hambre y el instinto de cada individuo, destruirla como un todo para satisfacer un designio misterioso, tal vez de protección, tal vez de venganza. Bajo la superficie los peces poseían una diabólica inteligencia colectiva que ahora lo tragaba y digería.

Después, como víctima propiciatoria, su cuerpo sería vomitado por el cardumen saciado en algún lugar del mar, donde un universo de minúsculos seres abismales lo devoraría lentamente.

Superado el terror de los primeros instantes y abandonada la lucha desigual contra tal fuerza, lamentó que su descubrimiento fuera en el momento final. Sintió vagamente cómo el regulador escapaba de sus labios, y el visor le era arrancado del rostro por el coletazo convulsivo de algún pez. Vio indiferente los ojos desorbitados de un ejemplar que boqueaba junto a su cara. A un paso de perder la conciencia, y mientras la última idea sobre su descubrimiento se diluía en la abulia precursora de la muerte, dejó de sentir el terrible empuje y bruscamente percibió una luz intensa filtrándose a través de sus párpados cerrados. El cardumen se movía con violencia, produciendo el ruido de tambores apagados por el agua, y golpeaba cada parte de su cuerpo, ya insensible al dolor. Contra su voluntad, ahora movía nuevamente brazos y piernas, llevados de aquí para allá por el desplazamiento cada vez más brusco de los animales. Pudo pensar aún que el transcurso a la muerte no era dolor ni tristeza, sino una especie de resignación tal que podía vencer dolores como la falta de aire, o el golpeteo incesante de aletas y colas contra su piel.

Al abandonar su último pensamiento sintió un impacto indoloro y brutal, distinto del multiplicado golpear de los peces. Vio un mundo de luz; no la difusa y plana del

ámbito submarino, sino una luz clara, definida en interminables contornos de luces y sombras. Oyó el sonido de los tanques golpeando contra algo metálico, produciendo tañidos de campanas destempladas. Fue levantado en vilo y maltratado nuevamente por la convulsa masa. Creyó escuchar gritos lejanos e incomprensibles, chirriar de cadenas, golpes compactos y el rumor sordo del cardumen agitándose. Sintió caer en el vacío, y perdió la sensación de la tibieza del agua y el frío rasposo de los peces.

Izado por el enorme malacate sobre la cubierta del barco pesquero, el buzo yacía, despatarrado y sangrante, como un espécimen insólito entre la pesca de la red. Ante los pescadores estupefactos, el aire del mundo entraba de nuevo en sus pulmones y aceleraba su corazón y el calor del sol desentumía sus manos y otra vez la luz vibraba en sus pupilas. Mientras, rodeándolo por todas partes en el copo recién abierto, a su lado agonizaban estrepitosamente sesenta toneladas de merluzas.

EL TÉMPANO
DE KANASAKA

Francisco Coloane

Las primeras noticias las supimos de un cúter lobero que encontramos fondeado detrás de unas rocas en bahía Desolada, esa abertura de la ruta más austral del mundo, el canal Beagle, a donde van a reventar las gruesas olas que vienen rodando desde el cabo de Hornos.

–Es el caso más extraño de los que he oído hablar en mi larga vida de cazador –dijo el viejo lobero Pascualini, desde la borda de su embarcación, y continuó–. Yo no lo he visto; pero los tripulantes de una goleta que encontramos ayer, de amanecida, en el canal Ocasión, estaban aterrados por la aparición de un témpano muy raro en medio del temporal que los sorprendió al atravesar el paso Brecknock; más que la tempestad, fue la persecución de aquella enorme masa de hielo, dirigida por un fantasma, un aparecido o qué sé yo, pues no creo en patrañas, lo que obligó a esa goleta a refugiarse en el canal.

El paso Brecknock, tan formidable como la dura trabazón de sus consonantes, es muy corto; pero sus olas se empinan como cráteres y van a estallar junto a los peñones sombríos que se levantan a gran altura y caen, revolcándose de tal manera, que todos los navegantes sufren una pesadilla al atravesarlo.

–Y esto no es nada –continuó el viejo Pascualini, mientras cambiaba unos cueros por aguardiente con el patrón de nuestro cúter–; el austríaco Mateo, que me anda haciendo la competencia con su desmantelado *Bratza,* me contó haber visto al témpano fantasma detrás de la isla del Diablo, esa maldita roca negra que marca la entrada de los brazos noroeste y sudoeste del canal Beagle. Iniciaban una bordada sobre este último, cuando detrás de la roca apareció la visión terrorífica que pasó rozando la obra muerta del *Bratza.*

Nos despedimos del viejo Pascualini, y nuestro *Orión* tomó rumbo hacia el Paso Brecknock.

Todos los nombres de esas regiones recuerdan algo trágico y duro: La Piedra del Finado Juan, isla del Diablo, bahía Desolada, El Muerto, etc., y sólo se atenúan con la sobriedad de los nombres que pusieron Fitz-Roy y los marinos del velero francés *Romanche,* que fueron los primeros en levantar las cartas de esas regiones estremecidas por los vendavales de la conjunción de los océanos Pacífico y Atlántico.

Nuestro *Orión* era un cúter de cuatro toneladas, capitaneado por su dueño, Manuel Fernández, un marine-

ro español, como tantos que se han quedado enredados entre los peñascos, indios y lobos de las costas magallánicas y de la Tierra del Fuego; él y un muchacho aprendiz de marinero, de padres italianos, formaban toda la tripulación; y no necesitaban más: con vueltas de cabo manila amarraba el grumete al palo para que no se lo llevaran las olas y maniobrara libremente con la trinquetilla en las viradas por avante, y él manejaba el timón, la mayor, el pique y tomaba faja de rizo, todo de una vez, cuando era necesario.

Una noche de temporal, al pasar del cabo Froward al canal Magdalena, lo vi fiero; sus ojos lanzaban destellos de odio hacia el mar; bajo, grueso, con su cara de cascote terroso, donde parecía que las gotas de agua habían arrancado trozos de carne, lo vi avanzar hacia proa y desatar al grumete, desmayado por una mar gruesa que le golpeó la cabeza contra el palo.

Yo me ofrecí para reemplazarlo: «¡Vamos!», me dijo dudando y me amarró al palo con una soga.

Las olas venían como elefantes ágiles y blandos, y se dejaban caer con grandes manos de agua que abofeteaban mi rostro, y a veces unas pesadas lenguas líquidas me envolvían empapándome.

En el momento del viraje, cuando el viento nos pegaba en la proa, desataba la trinquetilla y cazaba el viento, que nos tendía rápidamente hacia un costado. Ése era un instante culminante. Si mis fuerzas no resistían los embates de la lona, que me azotaba despiadadamente, el vi-

raje se perdía, corríamos el peligro de «aconcharnos» y naufragar de un golpe de viento.

Después de dos horas de sufrimientos, el patrón Fernández fue a desatarme, sin decirme si lo había hecho bien o mal. Desde esa noche relevé muchas veces al grumete durante la navegación.

Hacía el viaje con destino a Yendegaia, para ocupar un puesto de capataz en una estancia de lanares. El cúter llevaba un cargamento oficial de mercadería; pero disimulado en el fondo de su pequeña bodega iba otro cargamento extraoficial: un contrabando de aguardiente y leche condensada para el presidio argentino de Ushuaia, donde el primer artículo está prohibido y el segundo tiene un impuesto subido.

Iban dos pasajeros más: una mujer que se dirigía a hacer el comercio del amor en la población penal y un individuo oscuro, de apellido Jiménez, que disimulaba su baja profesión de explotador de la mujer con unos cuantos tambores de películas y una vieja máquina de proyección cinematográfica, con lo que decía iba a entretener a los pobres presidiarios y a ganarse unos pesos.

Este tipo era un histérico: cuando soltamos las amarras del muelle de Punta Arenas, vociferaba, alardeando de ser muy marino y de haber corrido grandes temporales. Al enfrentarse con las primeras borrascas, a la altura del cabo San Isidro, ya gritaba como un energúmeno, clamando al cielo que se apiadara de su destino; en el primer temporal serio que tuvimos, fue presa del pánico y,

mareado como estaba en la sala del cúter, tuvo fuerzas para salir a cubierta gritando enloquecido. Una herejía y un puntapié que el patrón Fernández le dio en el trasero lo arrojaron de nuevo a la camarita, terminando con su odiosa gritería. La prostituta, más valerosa, lloraba resignadamente, y apretaba su cara morena contra una almohada sebosa.

Pero salía el sol y Jiménez era otro; con su cara repugnante, de nariz chata, emergía del fondo de la bodega como una rata, se olvidaba de las patadas del capitán y hablaba de nuevo, feliz y estúpido.

A los tres días de viaje, los seres que íbamos en esas cuatro tablas sobre el mar ya habíamos deslindado nuestras categorías. El recio temple y la valentía del patrón Fernández, el gesto anhelante de ese adolescente que se tragaba el llanto y quería aprender a ser hombre de mar, mi inexperiencia que esforzaba a veces cuando trataba de ayudar, y la prostituta arrastrada por ese crápula gritón. Toda una escala humana, como son la mayoría de los pasajeros de esos barquichuelos que cruzan los mares del extremo sur.

Suaves y lentos cabeceos nos anunciaron la vecindad del Paso Brecknock, y luego entramos en plena mar gruesa. Nuestro cúter empezó a montar con pericia las crestas de las olas y a descender entre crujidos hasta el fondo de esos barrancos de agua. El viento del sudoeste nos empujaba velozmente de un largo; el Brecknock no estaba tan malo como otras veces y en menos de una

hora tuvimos a la cuadra el peñón impresionante que forma un pequeño pero temible cabo; después empezaron a disminuir las grandes olas y penetramos por la boca noroeste del canal Beagle. En la lejanía, próxima la soledad del mar afuera, de vez en cuando divisábamos los blancos penachos de las olas del cabo, rotas entre algunas rocas aisladas.

No tuvo mayores contratiempos nuestra navegación; el pequeño motor auxiliar del *Orión* y el viento que nos daba por la aleta de estribor nos hacían correr a seis millas por hora.

Estábamos a mediados de diciembre y en estas latitudes las noches casi no existen en esa época; los días se muerden la cola, pues el crepúsculo vespertino sólo empieza a tender su pintado de sombras cuando ya la lechosa claridad de la aurora empieza a barrerlas.

Avistamos la isla del Diablo a eso de las tres de la madrugada. Ya el día entraba plenamente, pero los elevados paredones rocosos ribeteaban de negro la clara ruta del canal, a excepción de algunos trechos en que los ventisqueros veteaban esas sombras con sus blancas escalinatas descendiendo de las montañas.

El cataclismo que en el comienzo del mundo bifurcó el canal Beagle en sus dos brazos, el noroeste y el sudoeste, dejó como extraño punto de ese ángulo a la isla del Diablo, donde los remolinos de las corrientes de los tres canales hacen muy peligrosa su travesía, de tal manera que los navegantes han llegado a llamarla con ese nombre espantoso.

Y ahora tenía una sorpresa más: allí rondaba la siniestra mole blanca del témpano que llevaba a su bordo un fantasma, terror de los navegantes de la ruta.

Pero pasamos sorteando la enrevesada corriente, sin avistar el extraño témpano.

–¡Son patrañas! –exclamó el patrón Fernández, mientras evitábamos los choques de los pequeños témpanos que, como una curiosa caravana de cisnes, pequeños elefantes echados y góndolas venecianas, seguían a nuestro lado.

Nada extraño nos sucedió, y seguimos tranquilamente rumbo a Kanasaka y a Yendegaia, donde debía asumir mis labores campesinas.

Antes de atravesar hacia Yendegaia debíamos pasar por la tranquila y hermosa bahía de Kanasaka.

Todas las costas del Beagle son agrestes, cortadas a pique hasta el fondo del mar; dijérase que éste ha subido hasta las más altas cumbres de la cordillera de los Andes o que la cordillera andina se ha hundido allí en el mar.

Después de millas y millas entre la hostilidad de la costa de paredes rocosas, Kanasaka, con sus playas de arena blanca, es un oasis de suavidad en esa naturaleza agreste; siguen a la playa verdes juncales que cubren un dilatado valle y luego los bosques de robles ascienden hasta aparragarse en la aridez de las cumbres. Una flora poco común en esa zona se ha refugiado allí, el mar entra zigzagueando tierra adentro y forma pequeñas y misteriosas lagunas donde los peces saltan a besar la luz, y detrás,

en los lindes del robledal, está la casa de Martínez, único blanco que, solitario y desterrado, por su voluntad o quizás por qué razones, vive rodeado de los indios yaganes. En medio de esa tierra salvaje, mi buen amigo Martínez descubrió ese refugio de paz y belleza y, ¡ah romántico irreductible!, muchas noches lo encontré paseando al tranco de su corcel junto al mar, acompañado sólo de la luna, tan cercana, que parecía llevarla al anca de su caballo.

–¡Vamos a tener viento en contra y el canal va a florecer con el Este! –habló Fernández, interrumpiendo mis buenos recuerdos. Y, efectivamente, el lomo del canal Beagle empezaba a florecer de jardines blancos; las rachas del Este jaspeaban de negro y blanco al mar, y de pronto el cúter tuvo que izar su velamen y voltejear de costa a costa.

El viejo marino español miró el cielo y frunció el ceño. Empezaba el lento anochecer y el mar seguía aumentando su braveza. El grumete fue amarrado al palo para maniobrar en los virajes con la trinquetilla. El patrón disminuyó la mayor, tomando faja de rizo y todo se atrincó para afrontar la tempestad que se avecinaba.

Lo más peligroso en las tempestades del canal Beagle son sus rachas arremolinadas; los caprichosos ancones y montañas las forman y las lanzan al centro del canal, levantando verdaderas columnas de agua. En el día es muy fácil capearlas. Se anuncian por una sombra renegrida que viene sobre las olas y permite emproarlas con

la embarcación; pero cae la noche y sus sombras más intensas se tragan a esas otras sombras y, entonces, no se sabe cuándo llegan los traidores «chimpolazos» que puedan volcar de un golpe al barquichuelo.

Todo el instinto del patrón Fernández para olfatear las rachas en la oscuridad no era suficiente, y de rato en rato se deslizaba alguna que nos sorprendía como una venganza del mar contra ese viejo marino.

El patrón encerró en la camarita al histérico gritón y a la prostituta, ajustó los cubichetes y me preguntó si quería guardarme también.

Varias veces he estado mecido por los brazos de la muerte sobre el mar y no acepté la invitación, pues es muy angustiosa la situación de una ratonera batida por las olas y que no se sabe cuándo se va a hundir. He aprendido a conocer el mar y sé que la cercanía del naufragio es menos penosa cuando uno está sobre la cubierta a la intemperie. Además, la espera de la muerte no es tan molesta en un barco pequeño como en un barco de gran tonelaje. En el pequeño, uno está a unos cuantos centímetros del mar; las olas mismas, empapándonos, nos dan ya el sabor salobre de los pocos minutos que durará nuestra agonía; estamos en la frontera misma, oscilando; un breve paso y nos encontramos al otro lado.

Ésta era nuestra situación en medio del canal Beagle a eso de la medianoche. A pesar de haber tomado faja de rizo, el viento nos hacía correr velozmente sobre las

olas, de costa a costa, y el patrón Fernández gritaba al muchacho el momento del viraje sólo cuando la negrura de los paredones hostiles ponía una nota más sobrecogedora sobre nuestra proa.

–¡Puede relevar al muchacho mientras baja a reponerse con un trago de aguardiente! –me gritó el patrón Fernández, cuyas palabras eran arrancadas de cuajo por el viento.

Fui amarrado fuertemente de espaldas al palo. El grito del patrón me anunciaba el instante del viraje, y asido a la trinquetilla trataba de realizar, en la mejor forma posible, la maniobra de cazar el viento.

El huracán arreciaba; por momentos sentía una especie de inanición, se aflojaba mi reciedumbre, y sólo la satisfacción de servir en momentos tan graves me obligaba a mantenerme erguido ante los embates del mar.

A cada momento me parecía ver llegar la muerte entre las características tres olas grandes que siempre vienen precedidas de otras tres más pequeñas; las rachas escoraban al cúter en forma peligrosa haciéndole sumergir toda la obra muerta; el palo se inclinaba como un bambú y el velamen crujía con el viento que se rasgaba entre las jarcias. Podía decirse que formábamos parte de la tempestad misma, íbamos del brazo con las olas, hundidos en el elemento, y la muerte hubiera sido poca cosa más.

Navegábamos con la escota cazada, ladeados extraordinariamente sobre el mar, cuando de pronto vi que el cúter derivaba rápidamente; crujió la botavara, el es-

tirón de la escota fue formidable y, allá en la negrura, de súbito, surgió una gran mole blanquecina.

El patrón Fernández me gritó algo que no entendí, e instintivamente puse mi mano en la frente a manera de amparo; esperaba que la muerte emergiera de pronto del mar, pero no de tan extraña forma.

La mole blanquecina se acercó: tenía la forma cuadrada de un pedestal de estatua y en la cumbre, ¡oh visión terrible!, un cadáver, un fantasma, un hombre vivo, no podría precisarlo, pues era algo inconcebible, levantaba un brazo señalando la lejanía tragada por la noche.

Cuando estuvo más cercano, una figura humana se destacó claramente, de pie, hundida hasta las rodillas en el hielo y vestida con harapos flameantes. Su mano derecha levantada y tiesa, parecía decir: «¡Fuera de aquí!» e indicar el camino de las lejanías.

Al vislumbrarse la cara, esa actitud desaparecía para dar lugar a otra impresión más extraña aún: la dentadura horriblemente descarnada, detenida en la más grande carcajada, en una risa estática, siniestra, a la que el ulular del viento, a veces, daba vida, con un aullido estremecido de dolor y de muerte, como arrancado a la cuerda de un gigantesco violón.

El témpano, con su extraño navegante, pasó, y cerca de la popa hizo un giro impulsado por el viento y mostró por última vez la visión aterradora de su macabro tripulante, que se perdió en las sombras con su risotada sarcástica, ululante y gutural.

En la noche, la sinfonía del viento y el mar tiene todos los tonos humanos, desde la risa hasta el llanto; toda la música de las orquestas, y además, unos murmullos sordos, unos lamentos lejanos y lacerantes, unas voces que lengüetean las olas; esos dos elementos grandiosos, el mar y el viento, parecen empequeñecerse imitar ladridos de perrillos, maullidos de gatos, palabras destempladas de niños, de mujeres y hombres, hacen recordar las almas de los náufragos. Voces y ruidos que sólo conocen y saben escuchar los hombres que han pasado muchas noches despiertos sobre el mar; pero esa noche, esta sinfonía nos hizo sentir algo más, algo así como esa angustia inenarrable que embarca el espíritu cuando el misterio se acerca... ¡Era la extraña aparición del témpano!

Al amanecer, lanzamos el ancla en las tranquilas aguas de la resguardada bahía de Kanasaka.

–¡No lo hubiera creído, si no hubiese visto esa sonrisa horrible de los que mueren helados y esa mano estirada que pasó rozando la vela mayor; si no derivo, a tiempo, nos hubiera hecho pedazos! –exclamó el patrón Fernández.

Cuando junto a la fogata del rancho contábamos lo sucedido a Martínez, el poblador blanco, uno de los indios que ayudaba a secar nuestras ropas abrió de pronto desorbitadamente los ojos y, dirigiéndose a los de su raza, profirió frases entrecortadas en yagán, entre las que repetía con tono asustado: «¡Félix!», «¡Anan!», «¡Félix!».

El indio más viejo tomó parsimoniosamente la palabra y nos contó: «El otoño anterior, Félix, un indio mozo, siguiendo las huellas de un animal de piel fina, atravesó el ventisquero *Italia;* no se supo más de él y nadie se atrevió a buscarlo en la inmensidad helada».

Y aquello quedó explicado sencillamente: el joven indio en su ambición de cazar a la bestia, se internó por el ventisquero y la baja temperatura detuvo su carrera, escarchándolo; llegaron las nieves de invierno y cubrieron su cuerpo, hasta que el verano hizo retumbar los hielos despedazándolos, y el yagán, adosado a un témpano, salió a vagar como un extraño fantasma de esos mares.

Todo se explicaba fácilmente así; pero en mi recuerdo perduraba como un símbolo la figura hierática y siniestra del cadáver del yagán de Kanasaka, persiguiendo en el mar a los profanadores de esas soledades, a los blancos «civilizados» que han ido a turbar la paz de su raza y a degenerarla con el alcohol y sus calamidades. Y como diciéndoles con la mano estirada: «¡Fuera de aquí!».

Náufragos

Cristina Peri Rossi

Estaba a punto de ganar la costa, cuando escuché los gritos de una mujer que pedía auxilio. Con gran dificultad había conseguido acercarme a la playa, y no tenía intención de retroceder. Fue cierto sentimiento de vanidad, suficiencia, más que la generosidad, lo que me llevó a cambiar de parecer. Oscurecía, el cielo amenazaba tormenta, y hubiera sido fácil nadar unos metros más hacia la orilla. Pero yo ya estaba salvado, y nada hay más peligroso en este mundo que un hombre que ha vuelto a nacer: en su interior, está convencido de que ya nada grave le ocurrirá y especialmente, sospecha que su salvación se debe a ciertos méritos personales –la astucia, la inteligencia o la imaginación– a partir de los cuales es invencible. Pronto olvidé que era un sobreviviente y las fatigas que eso me había causado: retrocedí con arrojo, con el excedente de vida que me sobraba.

El mar estaba picado y una luz confusa, amarillenta, presagiaba vientos y relámpagos. Las olas, cada vez más altas, comenzaban a precipitarse con mayor rapidez. El mar era azul, profundo, pero a lo lejos, se ennegrecía, como un tumor.

No había visto nunca antes a aquella mujer, y no me pregunté nada acerca de su naufragio: procediera de donde procediera, se estaba ahogando, y aunque gritaba, no hacía gran cosa por evitarlo. Viéndola sumergirse y reaparecer, con los cabellos sueltos y los ojos desorbitados, llegué a pensar que esa mujer, por algún raro fenómeno, no flotaba. De modo que procuré ayudarla con mis gritos:

–¡Flexione las piernas! ¡Muévalas! ¡Agite los brazos en círculo! ¡Cierre la boca!

No sabía si oía mis instrucciones, pero pensé que de todos modos, si el eco de mi voz le llegaba, iba a tranquilizarse un poco: comprendería que no estaba sola, que otro náufrago –recién salvado– se precipitaba en su ayuda. Creo que me equivoqué, porque a poco de escuchar mi voz, súbitamente su cuerpo se aflojó, adquirió una consistencia de medusa, y comenzó a flotar. Esto me tranquilizó. Sin embargo, no flotaba todo el tiempo. Como sacudida por bruscos impulsos, difíciles de contener, de pronto se sumergía otra vez, repleta de agua, y volvía a reaparecer, extenuada y convulsa. Entonces, yo insistía con mis gritos.

La distancia que nos separaba ya no era tan grande, pero yo estaba cansado y muchas veces las olas, aprove-

chando mi extenuación, me hacían retroceder. Tenía los ojos enrojecidos, la mandíbula inferior me dolía y respiraba con mucha dificultad. Pero me concentré en dos brazadas largas y los metros que nos separaban los superé con un supremo esfuerzo: cuando el agua estaba a punto de arrebatarla conseguí sostenerla por el cuello.

–Tranquilícese –conseguí balbucear.

Aflojó tan súbitamente todo el peso de su cuerpo, que sentí como si un enorme globo, lleno de gas, se precipitara sobre mí. El impacto fue tan inesperado que me impelió otra vez al fondo, y la solté: esa nueva incursión a las entrañas del mar, con su sucio lodo verde y los residuos calcáreos me llenó de horror y por un instante me dejé arrastrar por la corriente, como un pez envenenado que ha perdido el sentido de la orientación. Pero me recuperé enseguida y recordando a la náufraga, estiré los brazos y la atrapé otra vez. Ella bufaba y lanzaba agua como el hocico de una ballena; en realidad, parecía pesar lo mismo. Cuando conseguí asirla por el cuello, dio patadas al aire, gruñó y yo tuve que aconsejarla.

–Tranquilícese. No tenga miedo. Pronto habremos ganado la orilla y ya habrá pasado todo.

Decidí remolcarla asiéndola por la nuca, pero ella se revolvía como ciertos peces cuando han mordido el anzuelo: conducirlos hasta la costa es una tarea lenta, pesada, que exige enorme habilidad. Igual que el hombre que ha conseguido enganchar un pez espada, para atraer-

163

lo, debe soltar línea y dejarlo sacudirse y alejarse, yo debía, por momentos, permitir que el agua se la llevara un poco, y aprovechar los momentos en que su resistencia disminuía –o era menor la presión de las olas– para arrastrarla.

Entretanto, el cielo había oscurecido por completo y algunos relámpagos brillantes lo cortaban en dos, con trazo desigual. Yo aprovechaba esas fugaces iluminaciones para orientarme. Cuando conseguí colocar una de mis manos bajo su axila, pensé que así iba a ser más fácil transportarla, pero una violenta sacudida de su cuerpo volvió a separarnos, y no tuve más remedio que reconvenirla.

–¡Un poco de cordura, por favor! –le grité, mientras un relámpago nos iluminó con su amarillento fulgor. Había comenzado a llover, y el agua que me golpeaba la cara, en medio de la oscuridad, me parecía salida de un pozo. Tuve miedo de perderla, en el forcejeo con el agua, pero de pronto me di cuenta de que ella se había aferrado muy hábilmente a mí: sentí el ardor de sus heridas abiertas, en mis costados, allí donde sin duda hubiera sido conveniente que yo tuviera dos asas, como las vasijas, para que pudiera agarrarse mejor.

–¡No apriete tanto, señora! –le grité en medio de un borbotón de espuma que me cubrió la boca.

Fuera como fuera, ella había encontrado una posición bastante cómoda para deslizarse, y no creí oportuno rectificar: debía nadar un buen trecho, todavía, para llegar a la costa; luego me haría curar las heridas.

Nadé unos cuantos metros, en esa posición, con ella a mis costados. Pero un golpe muy fuerte de agua debió separarla, porque de pronto sentí que su presión aflojaba, y cuando me volví para ayudarla a mantenerse a flote, un feroz puntapié en el vientre me impelió lejos. Sentí que las aguas me desplazaban hacia adentro, sin resistencia, como un barco desarbolado. Yo iba conducido, mecido por ellas, en un sueño lleno de reflejos, de náusea y de gruñidos. Estaba tan agotado, que no tuve deseos de oponerme a esa corriente.

Cuando conseguí abrir los ojos y volver a flotar, en la penumbra alcancé a divisar a la náufraga. Ahora se deslizaba sobre un madero. Había conseguido asirlo con ambas manos y navegaba en la corriente, esta vez en dirección correcta, hacia la costa. De vez en cuando, sin embargo, lanzaba gritos de terror, como si tuviera miedo de soltarse o de no llegar. En cambio, a mí, las olas me empujaban hacia adentro, aprovechando mi languidez. Tenía los ojos turbios y las piernas, heladas, ya no me respondían. Pero era un hombre salvado, de modo que le grité:

–¡No se suelte! ¡Déjese llevar!

Estaba a punto de desmayarme, pero tuve miedo de que el cansancio la venciera, de modo que conseguí elevar la voz:

–¡No se duerma! ¡Pronto hará pie! ¡Conserve su valor!

Aunque las olas me impulsaban hacia adentro, yo era un hombre salvado y los sobrevivientes suelen ser gene-

rosos, por los menos, durante un rato. Esa pobre mujer podía ahogarse, de modo que gasté mis últimas energías en proporcionarle apoyo moral para llegar a la costa. El cielo había aclarado, con la misma rapidez que oscureció, y aunque yo tenía los ojos entrecerrados, pude ver la oscura figura de la mujercita, a caballo del madero, muy próxima a la orilla. Seguramente mi voz ya no alcanzaba, para decirle que podía soltar ya su salvavidas y ganar la costa a pie. Pero era posible que se diera cuenta por sí sola; en cuanto a mí, no había ningún peligro: aunque las olas me conducían hasta el fondo y sentía los pulmones llenos de agua, nada podía ocurrirme: era un hombre salvado, al que ya nada más puede sucederle.

EL GAVIERO

Antonio Menchaca

Era corpulento, macizo, dicharachero. Había sido acróbata en el circo y había trabajado en la construcción de la torre Eiffel. Por eso tomarle rizos al velacho alto aunque fuera con mar gruesa era para él juego de niños. Se sentía a gusto colgado en el espacio con los abismos abajo. Le daba una sensación única de libertad andar por las alturas sujeto a la vida sólo por su aplomo. No tenía vértigo nunca pese a que del trapecio se había caído al hacer el salto mortal sin red debajo claro está, rompiéndose todas las costillas. Tenía siete vidas y media como los gatos de dinastía real. La gente le miraba con telescopio cuando saltaba de viga en viga de la torre Eiffel, sin más sujeción que una colilla de puro apagada bajo el gran bigote a lo káiser. Cuando se terminó la torre Eiffel había ganado mucho dinero pero no le quedaba ni un centavo pues se lo pulió todo como un príncipe ruso en tremendas juergas. Por eso quiso conti-

nuar la torre más para arriba por su cuenta pero se lo impidieron metiéndole en la cárcel. Nunca comprendió la poca ambición de los hombres que se contentaban con aquello cuando él les ofrecía seguir para las nubes indefinidamente. Por eso quizás había embarcado desengañado de los burócratas de tierra. Andar por el velacho a gatas era lo más parecido al trapecio y a la torre Eiffel que podía encontrar. Aunque tenía un montón de años subía por la jarcia, entraba en la cofa por la arraigada cabeza abajo, salía por la verga, con una rapidez inverosímil que dejaba atrás a los más chavales. Le gustaba aquella sensación de peligro cuando el barco daba bandazos tan grandes que allá arriba parecía que iban a tocar con el penol en el agua describiendo un enorme arco sin retorno.

Sus compañeros no le querían por fanfarrón y pendenciero. Pero el capitán y el contramaestre hacían la vista gorda cuando se emborrachaba y aterrorizaba a los novatos con el cuchillo abierto para sacarles tabaco, dinero, aguardiente. Cuando sonreía le relucían los dientes de oro en la boca displicente. Cada viaje se ponía uno nuevo. ¿Qué mejor sitio donde guardar el oro que en la boca, bien aferrado a la carne?

Una noche de temporal, navegando por el cabo de Buena Esperanza, le clavó sus dientes de oro al chino que le vino a despertar para tomarle rizos al velacho. Desde cubierta el chino veía brillar la dentadura de oro que le había dejado la mano ensangrentada, allá arriba a la luz de los relámpagos. Entonces le echó la maldición

con un grito: «¡Ojalá te caigas al mar!». Él respondió displicente desde las nubes con su vozarrón: «¡Si me caigo volveré a matarte!». En eso se oyeron gritos arriba entre golpes de mar. Un cuerpo había caído a la mar. El capitán miró un momento a la mar alborotada pero no mandó virar en redondo. Tenía prisa por llegar el primero a Londres en la interminable carrera del té. No podía perder tiempo aunque fuera por un buen gaviero. Nadie dijo nada. Sólo el chino tembló.

Cuando pasó el temporal vino el calmazo y para distraerse se pusieron a pescar, hartos como estaban de la comida llena de gusanos. Cogieron un enorme tiburón que hubo que sacar del agua virando con el cabrestante y con la ayuda de arpones. Cuando se desplomó sobre la cubierta, empezó a dar tremendos coletazos, retorciéndose para saltar la regala y volver al mar. «Hay que acabar con él», dijeron todos, relamiéndose ante aquella mole que no se desprendía de la vida para convertirse en suculento alimento. Y el capitán le mandó al chino a que le machacara los sesos con una enorme cachiporra.

Nadie supo cómo ocurrió, nadie lo vio aunque todos estaban mirando. La cuestión es que de pronto el chino dio un tremendo chillido de dolor. Tenía las dos piernas rebanadas de raíz por donde a toda velocidad se le iba la vida a borbotones. El tiburón le había mordido.

Al chino le echaron al mar según unos muerto, según otros vivo todavía. Al tiburón le mataron a tiros con la

carabina del capitán. Cuando le miraron la boca se quedaron helados de terror. ¡El tiburón tenía la dentadura de oro!

Naves que llegan

Ya asomaba la
fúlgida estrella que
viene entre todas a
anunciar en el cielo
la luz de la aurora
temprana cuando
recta avanzaba a la
isla la nave crucera.

Hay en Ítaca un
puerto, el de Forcis,
el viejo marino, que
se abre entre dos
promontorios roco-
sos y abruptos, mas
de blanda pendiente
del lado de aquél; por
de fuera le resguar-
dan del fuerte oleaje
que mueven los
vientos enemigos y
dentro las naves de
buena cubierta sin
amarras están
cuando vienen allá de
arribada.

Homero, Odisea,
canto XIII

MI CRISTINA

Mercé Rodoreda

¿Tantos años has vivido dentro?... ¿Y cómo te las arreglabas?, me dicen. Tienes que ir a hacerte los papeles. Y me miran y en las comisuras de los labios les veo un principio de risa. Vuelve, me dicen, vuelve. Pero cuando vuelvo se mosquean: ven mañana, aún no sabemos nada, ven pasado mañana. Y uno de ellos, el del bigote, estira una mano con los dos primeros dedos bien juntos y hace como si le diese vuelta a una llave y me dice, clavándome una mala mirada: si no vienes a buscar los papeles, ya lo sabes... y venga mover la mano... y yo llevo dentro una pena que me mata, pero nadie lo sabe. Así ocurrió, y sin testigos. Y no me quejo.

El mar entero era un gemido y una ráfaga y volantes de olas y yo atrapado y arrojado, y atrapado, escupido y engullido y abrazado a mi tablón. Todo estaba negro, el mar y la noche, y el Cristina hundido, y los gritos de

los que morían en el agua ya no se escuchaban, y atiné a pensar que sólo quedaba una persona con vida y que era yo, gracias a la suerte de ser sólo marinero y estar en cubierta cuando todo empezó a ir mal. Vi espesas nubes sin querer verlas, tendido por entero sobre una ola furiosa, y entonces, con todas aquellas nubes encima, me sentí chupado hasta muy adentro, más adentro que las otras veces. Descendía, entre remolinos y peces alarmados que me rozaban las mejillas, y venga descender, llevado por un torrente de agua dentro del agua, bajando por un acantilado, y cuando el agua se calmó y fue bajando poco a poco, la cola de un pescado más grande que los demás me golpeó en la pierna, y ya no veía las nubes sino la oscuridad más oscura que haya visto hijo parido de mujer, y el tablón me salvó porque sin él quizá hubiera ido a parar donde había ido a parar el agua engullida. Cuando intenté levantarme para andar por el suelo, resbalaba, y aunque ya me figuraba dónde estaba, preferí no pensar, pues me acordé de lo que mi madre me había dicho en su lecho de muerte. Yo estaba a su lado, muy triste, y mi madre, que se ahogaba, tuvo fuerzas para levantarse de medio cuerpo para arriba y con el brazo largo, largo y seco como un mango de escoba, me pegó un tremendo guantazo y me gritó aunque apenas se la entendía: ¡no pienses! Y murió.

Me agaché para tocar el suelo con las manos. Estaba resbaloso y mientras lo tocaba escuché muy cerca de mí como un enorme gemido de trompa, que poco a poco

se convirtió en un bramido. Y entre bramidos y gemidos, como la ronquera de unos pulmones viejos y cansados, la tierra se movió hacia arriba y yo caí abrazado a mi tablón. Medio atontado, no sabía qué pasaba exactamente, sólo sabía que no tenía que dejar el tablón en la vida, porque la madera es más fuerte que el agua. Sobre el agua revuelta una madera llana es más fuerte que todas las cosas del mundo. Quería saber dónde estaba exactamente, y cuando una parte del cerebro empezó a dolerme menos intenté andar hacia adelante, y todo lo veía color tinta de pulpo asustado, y se habían terminado los gemidos y sólo escuchaba gluglú, gluglú. Y el suelo, bajo los pies, pues volvía a estar en pie, era de goma tierna, como aquella que chorrea tranquila de los troncos de los árboles, goma recogida, trabajada y secada y después ablandada por el calor, aunque allí dentro hiciese frío y los dientes me castañeasen. Distraído, me encontré de nuevo sentado en el suelo con el tablón atravesado entre las piernas. Estiré un brazo y con la palma de la mano toqué la pared y toda la pared se movía como si fuese una ola incesante, como un desasosiego muy antiguo. Cogí el tablón tal como estaba, de través, y embestí la pared que se movía, y el tablón y yo volamos por los aires y volvimos a caer encima del suelo fangoso. ¡A golpes de tablón! Lo clavaba en el suelo y cuando lo tenía clavado, daba un paso adelante, y así, con penas y fatigas, cayéndome y levantándome, llegué a un lugar extraño, oscuro, y al propio tiempo lleno de

colores que no lo eran exactamente, fantasmas de colores, encendidos y apagones de azules y de amarillos y de rojos que se acercaban y se alejaban, colores que no parecían tales, que eran un fuego distinto del fuego y que no podría explicar, cambiantes y escurridizos. Llegaba un poco de claridad, una claridad delgada y enfermiza, y me acerqué a ella y vi la luna allá fuera por entre un enrejado de varillas. Abrazado a mi tablón dejé pasar muchas horas. Me parece. Porque cualquiera sabe dónde se había metido el tiempo. Y cuando la luna fue descendiendo, los colores se tornasolaron un poco y entonces me di cuenta de que no respiraba y de que me salía agua por los oídos, un chorrito por cada lado. Y no era agua, sino sangre, pues los oídos se me debían haber reventado por dentro, y mientras me pasaba la punta de un dedo por el cuello tibio de sangre, sentí una sacudida que venía de lo hondo de donde yo estaba y con la sacudida subió un chorro de agua que apestaba a pescado vomitado. Y aquel agua me cubrió hasta los hombros, y suerte tuve que quedase quieta y que poco a poco volviese a bajar, aunque quedé apestando a pescado. Ya no me salía sangre por los oídos: pasaba el aire por ellos, pues el camino del aire se había modificado. Golpeé fuerte con el tablón en el suelo y no pasó nada, ni un gemido, ni una sacudida. Fui hacia adelante, abrazado a mi tablón, entre luces de colores que no sabía si eran las mismas que ya había visto o bien otras, pues iban apagándose, y por entre el enrejado de varillas entró la

luz del amanecer que se levantaba, y sentí la paz de la mar en calma, algo que no puedo explicar, como si mi mundo estuviese a punto de borrarse, no sé... Me detuve, y a través del aire que me entraba y salía por los oídos oí una respiración muy fuerte entre el chapoteo del agua. Luego me pareció pisar un pedregal, pero eran los granos de una lengua, y de repente, tablón y yo, fuimos de nuevo por los aires, y me pareció que me abrazaban fuertemente. Un abrazo de esos que te dejan sin respiración. Casi había salido, junto con el agua, por el agujero rociador de una ballena y el tablón me había salvado de salir del todo, disparado, como una bala. Y vi cosas que había visto ya muchas veces, pero ¡desde qué lugar tan distinto! Era la ballena más grande de todos los mares, la más brillante, la más antigua. Yo había pasado toda la noche dentro de ella. Clareaba pausadamente y, colgado del agujero rociador por las mandíbulas, que ya empezaban a dolerme, abrazado a mi tablón al otro lado del agujero, con los pies balanceándoseme, vi dos ríos que se juntaban con el mar, muy distintos entre sí. Las aguas de aquellos ríos tenían dos colores: colorado de tierra roja, uno; verde de algas, el otro. Y aquellos dos colores bailaban una lentísima danza de mezcla y separación. Danza y danza la danza de los colores. Yo soy colorada, yo soy verde. Ahora te pongo el colorado, ahora escurro el color verde. El verde penetra por debajo, ahora por debajo se esconde el colorado... Y mientras miraba salió el sol, el agujero se ensanchó y yo caí

como una piedra. Entonces pude ver lo que había dentro. A los pies, mecido por el agua y la saliva, había un marinero. Extendido sobre la lengua, a mi alcance, con la corbata atada con un cordoncillo, el áncora en la manga, los pantalones pegados a las piernas, la cara morada, los ojos abiertos y vacíos. Tres peces se le estaban comiendo una mano. Los asusté y se fueron, pero volvieron al punto, cegados. Yo también tenía hambre, pero me la aguanté, y, abrazado a mi tablón, saludé a la muerte y canté su himno. Pasé tres días persiguiendo peces y yendo de un lado para otro y de vez en cuando un golpe de lengua me estampaba en su mejilla. Hasta que..., me duele el decirlo..., pasé aquellos tres días intentando sacar al marinero fuera. Ella apretaba las varillas y yo los dientes, y me apretaba también el cinturón para poder hacer más fuerza. De tanto apretarme el cinturón, se me despertó más el hambre, y empecé a comerme al marinero, a pedacitos. Estaba duro y lleno de nervios, muchos nervios. Con todo, prefería comerme a un marinero que no conocía a comerme a un marinero conocido. Algún pescado lo había vaciado cuando aún vagaba por el agua. Estaba entero, excepto los ojos y las entrañas. Esto hizo que se conservase y pude hacerlo durar más días. Tiraba los huesos más pequeños por entre las varillas, pero los más grandes me los quedé. Las varillas del lado derecho estaban limpias y raspadas. Las del lado izquierdo eran una mezcla de algas, conchas y moluscos. Para no comer siempre mari-

nero, a veces comía mariscos. Lo peor era la sed. Pero todo tiene arreglo. Un día, de milagro, entró un cazo. Enseguida pensé en los árboles de la goma y de un solo golpe, sin piedad, clavé el cazo por el mango en el cielo de la boca de la ballena. Al día siguiente estaba lleno de jugo y pude beber. El agua del mar, salada, hace que la carne de los peces sea dulce. Volví a clavar el cazo. Siempre tenía que hacer agujeros nuevos, porque las heridas causadas con el mango cicatrizaban enseguida. De vez en cuando, si me descuidaba, me atizaba con la lengua contra el paladar y allí me tenía durante horas. Navegábamos despacio. Ya había marcado siete rayas con la punta del cuchillo en una de las varillas. Siete días. Una mañana, embestí las varillas para ver si abría brecha y todo empezó a dar vueltas y yo iba arriba y abajo, tan pronto encima de la lengua como debajo, tan pronto a un lado como arriba del todo y, pegado al paladar, tuve el acierto de pegar un grito: ¡párate, Cristina!... Me encontré sentado con mi tablón atravesado encima del pecho. En aquel momento, sin advertirlo, la bauticé.

Por entre las varillas vi mares de todas las clases. De distintos azules y color vino, lo que quieras, con olas doradas y montañas de hielo y nieblas al amanecer. Y yo temblando y sufriendo. Me decía: todas las lágrimas de la tierra van a parar al mar. Y la ropa se me deshacía, podrida. Primero se me deshilacharon los bajos de los pantalones, después la marinera, la ropa se fue no sé

cómo y me quedé sólo con la correa de cuero y el cuchillo, que tenía el mango de nácar, cruzado bajo la correa. Pronto tuve que hacerle nuevos agujeros. A veces, si me dormía durante un rato, soñaba que apretaba el cinturón y que dentro del cinturón ya no quedaba nada... ¡Costas verdes! Cuando vi aquellas costas me puse a rezar. Volví a jugarme la vida y volví a pegar empellones con el tablón. Cristina se sumergió. Estuvimos mucho rato dentro del agua. Cuando salimos mis oídos respiraban enloquecidos, pero las varillas se habían abierto como la puerta de una presa y yo me fui hacia el bendito mar de Dios, que ya no parecía hecho de lágrimas, sino de las risas de todas las fuentes del mundo. Y el tablón y yo íbamos así, mecidos, hacia la tierra verde. Había pájaros que chillaban junto a la orilla y me pareció que la brisa traía el aroma de espigas y de pinos. Pero de repente la oí llegar, sin siquiera volverme, su sombra me cayó encima y por la boca envarillada volvió a meterme dentro de ella. Y empezó la mala vida. Seis meses; todas las noches pegándole golpes de tablón por dentro, soltándole garrotazos en la lengua con el hueso de la pierna del marinero, que cualquiera sabe a dónde había ido a parar. Con el cuchillo le hacía cruces en el costado del paladar y debajo de la lengua. Le hundía el mango del cazo, que ya estaba mohoso, para que la envenenase, la pinchaba con la hebilla de la correa. Al final, ya no navegaba: iba sin tino por encima del agua, un poco escorada. Le marcaba los días hundiéndole la

hoja del cuchillo en el paladar que temblaba como si fuese gelatina, y de las señales le chorreaba sangre blanca y sangre roja. Cuando tuve todo un lado del paladar hecho trizas, empecé a marcar el otro. Un día le corté un grano de la lengua y oí un bramido que parecía el órgano del día de difuntos. Por las noches le salía, desde muy adentro, un gemido, como si todas las campanas de los campanarios del mar doblasen al mismo tiempo, ahogadas por el peso del agua y de la sal. Cristina se mecía lo mismo que una cuna y me mecía para dormirme, pero siempre desconfié de ello. Empecé a comérmela. Marcaba una cruz y después cortaba la carne por debajo y me la comía masticando bien, como había hecho con el marinero. Un día, los gemidos parecieron gemidos humanos y Cristina se sumergió y pasó muchísimo tiempo dentro del mar. Aunque yo respiraba por los oídos, cuando volvimos a la superficie fue como si volviésemos del infierno del agua. Le cortaba la campanilla, le dejaba el tablón apuntalado en la entrada de la garganta y le rayaba la lengua a cuchillazos. Cruces y más cruces, días y más días. A veces le zumbaba un golpe de tablón en el paladar allí donde lo tenía más vacío de carne. Sin cesar. La lengua estaba demasiado dura; sólo me comía el paladar y la carne le volvía a brotar y yo la veía crecer como si fuese hierba de primavera. Cuando le ponía el hueso de la pierna del marinero debajo de la lengua se me volvía loca como un conejo. Pero así que la dejaba tranquila, volvía a navegar,

un poco escorada, despacio, como si de repente el agua del mar, cansada de brincar y gritar, se hubiese vuelto espesa y difícil. Pasaba el tiempo, con sus días, sus meses y sus años, y nosotros siempre adelante porque en el fondo de una extraña oscuridad sentíamos que en un lugar que nunca acertábamos a encontrar, nos esperaba quién sabe si el último haz de luz sobre la sombra, o aquella especie de recuerdo delgado que dejan las cosas cuando se van para siempre. Al final me cansé. Vivía arrinconado en un hueco del paladar, y ella me guardaba abrigándome con la lengua y yo sentía como si me acartonase, y es que ella, con su baba, me iba cubriendo de costra. Y ni ella ni yo sabíamos qué mares navegábamos, hasta que una noche se quedó encallada sobre una roca y en aquella roca murió, toda marcada por dentro. La playa no estaba lejos: media hora de remo, apenas. Quise abrir las varillas a golpes de tablón, pero no pude porque el tablón ya estaba medio podrido por los cantos y se había acortado y adelgazado. Con un enorme trabajo salí por el rociador y cuando estuve fuera me dejé caer deslizándome por la gran curva del lomo hasta el agua, pero no sentí nada porque debía haber ido a parar a una especie de mundo que debía ser el mundo de los limbos. El mar me lanzó sobre la arena y allí me recogieron. Al despertar, me encontré en un hospital y una monja me daba de beber leche recién ordeñada, y yo no podía tragar porque tenía la lengua y la garganta como si fuesen de piedra. Y otra monja, con un martillito de

madera, que luego me explicó habían hecho expresa-
mente, iba golpeándome la costra, que era de perla, y
de este modo iba arrancándomela. Al principio, la costra con los golpes del martillito se estrellaba. Y al cabo
de unos cuantos días se despegaba a miajitas, pues la
monja la iba regando con un porrón de agua preparada. Y la monja hacía su trabajo con resignación y decía:
«Señor, la piel de debajo de la costra parece la de una
lombriz de tierra». Y cuando ya tenía casi toda la costra arrancada y sólo me quedaba en la mejilla derecha y
en medio lado de la cabeza, la monja me dio unos pantalones de hilo y me dijo que tenía que presentarme
para que me hiciesen los papeles. Y me presenté y enseguida me dijeron aquello de que cómo me las había
arreglado para vivir, durante tantos años, y de que si
creía que les iba a tomar el pelo... Y el viento y el sol
que siembran y maduran me iban haciendo una piel
tierna, y suerte de ello porque todo yo estaba tan vacío
como el paladar de Cristina. Y cuando ya hube vagado
bastante, volví al hospital y la monja me preguntó si la
piel me dolía cuando salía a la calle, tan delgada, y yo
le contesté que la piel sólo me dolía, y mucho, cuando
ella me golpeaba con el martillito la costra y me la re-
gaba con aquella agua preparada que hervía un poco
cuando tomaba contacto conmigo. Después me metía
en la cama con mucho cuidado y dormía muy mal. Un
día, claro, me echaron del hospital y me dijeron que ya
estaba curado. Me dieron un buen plato de sopa ca-

liente en vez de leche recién ordeñada, y a la primera cucharada arranqué a gritar y a correr porque mis entrañas estaban en llaga viva, y mordidas y podridas por toda la carne enferma que había comido de mi Cristina. Salí a la calle gritando aún, en el momento en que los niños iban a la escuela y un muchachito, casi asustado porque yo lo miraba, me señaló con el dedo y dijo en voz baja a los otros: es de perla. Las manos me brillaban todavía con aquellos trocitos de colores que las conchas tienen en el lado liso... Y veía los ojos de los niños, un rebaño de ojos azules y negros que me seguían y no me dejaban como si se sostuviesen a media altura sin nada alrededor y sólo fuesen a lo suyo... Me detuve, con la mejilla y media cabeza de costra de perla, tan bien pegada, tan bien casada con mi carne, que el martillito nunca pudo romperla. Y me estuve quieto hasta que los niños se cansaron de mirarme, y entonces fui hasta todo lo alto de los acantilados, fuera del pueblo, a todo lo alto, allí donde ya no se puede subir más, allá donde hacen el nido los pájaros de agua y donde mueren las mariposas en otoño. Y con el corazón lleno de cosas que temblaban como las estrellas en la noche me quedé mirando al mar y a la oscuridad que lo iba cubriendo. Por el lado en que el sol se ocultó, se arrastraba aún un poco de luz que se iba esfumando, y no bien estuvo todo negro, de parte a parte del mar surgió una carretera de luz ancha y quieta, y por aquella carretera de luz ancha y quieta pasaba mi Cristina con el

rociador en marcha y yo iba encima de su lomo abrazado a mi tablón, como antes, cantando el himno de la marinería. Y desde donde estaba, desde todo lo alto de los acantilados, lo escuchaba muy claramente, allá abajo, cantado por mí en medio de toda aquella extensión de agua, carretera adelante, sobre mi Cristina, que dejaba un rastro de sangre. Terminé de cantar y Cristina se detuvo y yo me quedé sin respiración, como si todo se me hubiese ido por la vista, hasta que mi Cristina, y yo encima suya, saludando y callados, nos perdimos hacia el lado donde el mar da la vuelta para ir aún más lejos... Me senté en el suelo con las piernas dobladas y me dormí con los brazos encima de las piernas y la cabeza encima de los brazos. Y debía estar muy cansado porque me despertó la luz del amanecer con los gritos de los pájaros que no saben cantar. Salían, blanquísimos, de los agujeros de las rocas en grandes vuelos, en compañía, haciendo chasquear las alas, y se tiraban en picado al agua y volvían a subir raudos con peces en el pico que daban a sus pequeñuelos, y había otros que en lugar de peces traían ramitas y briznas de hierbas, para construir sus nidos. Me levanté, mareado por el griterío, y el mar estaba liso como un tejado, y empecé a bajar hacia el pueblo y cuando estuve cerca de las primeras casas una mujer sucia y despeinada salió de un portal y se me tiró encima, y gemía, y me golpeaba en el pecho con los puños, y gritaba, eres mi marido, eres mi marido, y me abandonaste... Y juro que no era ver-

185

dad, porque yo nunca había estado en aquel pueblo, y si hubiese visto alguna vez a aquella mujer me hubiese acordado porque tenía los dientes de la parte de arriba colgándole sobre el labio inferior. La aparté con el brazo y cayó al suelo, y con el pie la empujé y separé de mí con cuidado, pues un niño nos estaba mirando desde una ventana. Y fui de nuevo allá donde hacían los papeles. Estaban celebrando algo que no sabía qué podía ser. El caso es que todos estaban bebiendo vino dorado en unas copas pequeñas. Estaban de pie y el del bigote me vio enseguida y se me acercó con cara de no querer estorbos, y vi a otro, con manguitos, que hablaba al oído de uno que no tenía ni un pelo, y por el movimiento de los labios adiviné lo que le estaba diciendo: la perla. Y todos se volvieron a mirarme y el que se me había acercado volvió a decirme: mañana; y me acompañó hasta la puerta, y casi me echó a la calle, mientras iba diciendo, como una canción: mañana, mañana...

El mar

Carlos Edmundo de Ory

Nadie comprendía al niño aquel. Su padre estaba ausente, y los que entonces le rodeaban –su tía, sus hermanos y, naturalmente, su madre– sufrían indeciblemente (sobre todo ella, su madre) de ver que el niño seguía sufriendo (¡pero cuánto sufrimiento para un niño!) de verse tan atrozmente incomprendido.

Cuando su padre salió para ausentarse de la casa por algún tiempo (viajes de su profesión: era pescador) tuvo buen cuidado de hablar a los mayores *al respecto* (los hermanos del niño eran ya mayores) y, mirando a su mujer a los ojos con una mirada acuciante y al mismo tiempo dolorida, dijo en tono particular, aunque refiriéndose a todos:

–No ordeno. No me gusta ordenar. Solamente pido por Dios que no hiráis en lo más mínimo su sensibilidad.

Nadie se atrevió a pronunciar palabra después de oír aquello. Y así el padre, a la mañana siguiente, pareció marchar con el ánimo más tranquilo, luego de abrazar con infinito amor y hasta con no se sabía qué pasión temblorosa al niñito que tanto preocupaba en la casa.

Un día, el niño amaneció algo enfermito y su madre quiso que se quedara en la cama. En verdad era muy poca cosa lo que tenía. Nada de tos. Pero un poco pálido sí estaba. ¡Pobrecito! Esa palidez hubiese desesperado a su padre. Seguramente se hallaba así a causa de un sueño que hubiera tenido la noche pasada. Había nacido en aquella casa (como sus hermanos), a orillas del mar, y se sabía que soñaba desde su más tierna infancia. El caso fue que la madre, la tía y sus hermanos no se apartaron ni un solo instante de su lado, permaneciendo con él en el cuarto, sin hablar. Sí, todos estaban en silencio. Cada cual haciendo algo con completa independencia y una concentración que parecía, a su vez, ser independiente de la personal ocupación de aquellos momentos.

Momentos de compañía, sí, sí, únicamente de eso; pero casi temerosa, como comprometida no con el acto en sí, sino con el objeto y finalidad que influía preponderantemente en el hecho de la independencia. Era como si no tuviesen más que una última preocupación, íntimamente ligada a la primera: la mirada, a través de la distancia, del padre.

Se diría que estaban ganando tiempo. Y el niño, como una presencia desmesurada, aunque aparentemente

imperceptible en su camita, callado, como llevando la batuta del silencio. Sin embargo, estar con el niño, hacerle compañía sin producir ruido, sin molestarle, no era para ellos ni mucho menos perder el tiempo. Sus hermanos estudiaban; su madre y su tía hacían punto de media, cosían calcetines. Cada uno a su labor. De vez en cuando miraban al niño que parecía pensar.

Casi ya era de noche cuando el niño habló, y dijo:

–Traedme el mar.

Todos se miraron aterrorizados. ¿Qué quería decir?

Sí, lo habían oído perfectamente. Disimulando, volvieron a poner caras normales. Lo difícil era responder al niño si no se le iba a dar lo que pedía.

El niño esperó. Sin mostrar impaciencia, en medio del silencio de todos, el niño esperó. Ya se moverían. Estaba convencido de que esta vez al menos iba a ser comprendido, pensando únicamente que su padre no le hubiera hecho esperar un segundo.

No era prudente hacer durar el silencio. ¿Y entonces? Al fin, la madre, que sufría más que los otros, y porque era la madre y de quien tendría que partir la iniciativa de algo (de algo que no hiriese la aguda sensibilidad del niño) y sabiendo lo difícil que era conseguirlo, la madre dijo con una voz valiente y firme:

–¿Dices el mar? ¡Es casi de noche, hijo mío!

–Mi padre lo haría –repuso el niño, echándose a llorar.

Ella, la madre, estaba desconsolada. La mención del padre, aún más que el llanto del niño, la llenó de espanto.

Entonces la tía habló con voz muy dulce:

–Sí, nosotros sabemos que lo haría. Pero tu padre es pescador y conoce el mar de noche.

El niño lloraba cubriéndose la carita con sus pequeñas manos.

La madre, atónita, miró a su hijo mayor. Éste se levantó de la silla, se situó a espaldas de la madre y, con sentimiento impotente, colocó una mano sobre su hombro para calmarla. Ella tornó la cabeza lentamente mirando con ojos penetrantes al hijo mayor. Buscaba en él una solución inmediata. El hijo mayor le apretó el hombro para darle coraje.

–También nosotros vamos a hacerlo ahora mismo, ¿verdad? –dijo la madre, dirigiéndose al hijo mayor, y al interrogar así se vio que había perdido el equilibrio que parecía tener al principio.

No, no. Las palabras no podían resolver nada.

–¿Qué hacen sin moverse? –exclamó el niño, cuya inteligencia era rápida, resplandeciente.

Entonces (había que obrar, obrar), el hermano que se levantó, y esto lo hizo principalmente con el objeto de *comenzar a moverse* y que los demás se tranquilizasen, dejándole a él toda la responsabilidad que, estando en manos de la madre, procuraba tanta angustia que quería suavizarla; el hermano mayor entonces, con tono decidido y sin el menor embarazo, preguntó al niño:

–Te lo voy a traer. Iré yo solo, ¿te importa?

A lo que el niño, dejando de llorar, dijo:

–¿Por qué tú solo? ¡Es demasiado grande! Es mejor que vayáis todos. Andad, id ya...

–Pero, ¿lo quieres todo, todo el mar? –balbuceó la madre de nuevo, en el colmo de la angustia.

Y el niño, dando rienda suelta al llanto, de tanto como le herían las preguntas de la madre, dijo con voz tristísima que partía el alma:

–Haced lo que podáis. Cada uno que traiga lo que pueda en las manos. Cada uno que traiga lo que pueda. ¿Acaso pido imposibles?

CARNE DE BALLENA

Julio Llamazares

La primera vez que salí de Olleros fue para ver el mar: un día del mes de julio, a principios de un verano inolvidable (por ese día y por los que le sucedieron) que pasó, como todos, muy deprisa, pero que quedó grabado para siempre en esta foto que un fotógrafo de playa me sacó en la de Ribadesella, en Asturias, al borde del mar Cantábrico.

Fui en el coche de la empresa, una vieja DKW azul y negra que la gente de la zona llamaba la *Chivata* porque durante los muchos años que estuvo en funcionamiento fue su mejor alarma: utilizada exclusivamente para llevar a la mina a los ingenieros (los mineros iban a pie o en dos viejos autobuses que hacían a cada turno la recogida por todo el valle), su regreso antes de tiempo era la señal más clara de que algo inhabitual, normalmente un accidente, había ocurrido; lo que provocaba al punto el pánico entre la gente y la angustia de las mujeres

que tenían a sus hijos o maridos trabajando y que corrían hacia la mina intentando averiguar qué había pasado.

Aquel día, sin embargo, no había pasado nada. Aquel día, simplemente, la *Chivata* había cambiado su rumbo y también sus pasajeros habituales y, por la carretera de Asturias, se dirigía hacia las montañas llevando en sus asientos a una veintena de niños, la mayoría de los cuales era la primera vez que salíamos de viaje. Recuerdo todavía la subida hacia el Pontón y la visión de la cordillera recortándose en el cielo como en una gran pantalla. Recuerdo el brillo del sol filtrándose entre los árboles y, al atravesar Asturias, el penetrante olor de los tilos y los laureles mojados. Pero lo que más recuerdo de aquel viaje, lo que me impresionó de él hasta el punto de que aún no lo he olvidado, fue la visión del mar –aquel resplandor azul– surgiendo de repente, después de varias horas de camino, en la distancia.

Muchas veces he vuelto a aquella playa (alguna vez, incluso, por el mismo camino de aquel día), pero jamás he vuelto a sentir la enorme conmoción que me causó aquella mañana. Era todo: la emoción del paisaje y del viaje, la resaca del sueño (para aprovechar el día, la *Chivata* había partido de la plaza de Sabero muy temprano), la nostalgia de un mar sólo visto en el cine, en aquellas viejas películas de piratas que protagonizaba Erroll Flynn y que concluían siempre en una gran batalla (batalla que a veces se propagaba hasta el gallinero, ante el enfado del

señor Mundo, que interrumpía la proyección y bajaba con el cinto a poner orden en la sala), y, sobre todo, la posibilidad de conocer al fin el lugar donde vivían aquellos gigantescos animales cuya carne fuerte y roja me había salvado la vida, según mi madre, cuando tenía seis años: las ballenas.

Le había mandado dármela, para curarme una anemia, el médico de la empresa, un extraño y solitario personaje cuyo prestigio profesional –que, según supe más tarde, traspasaba con creces el ámbito de las minas y las fronteras del valle– ni siquiera habían logrado empañar (antes, por el contrario, pienso que lo acentuaban) su extraño y hosco carácter y su gran afición a la bebida; una afición que no sólo no ocultaba, sino que cultivaba con pasión, pese a que más de una vez hubiese obligado a alguno a meterle la cabeza bajo el grifo para que pudiera atender a un parto o a un minero accidentado. Todavía recuerdo con repugnancia aquella textura extraña: ni salada ni dulce, ni muy fuerte ni muy suave. O, mejor: demasiado fuerte para ser pescado y demasiado suave para ser carne. Mi madre la compraba cada lunes en Boñar (para lo que tenía que ir en el coche de línea de la mañana y regresar después en el de la tarde) y me la cocinaba luego para toda la semana. Y, durante todo ese tiempo, aquel olor a marino que yo tanto aborrecía llenaba toda la casa.

Aquel olor a marino, que ahora recuerdo de nuevo, merced a esta fotografía, al cabo de tantos años, me sor-

prendió de golpe aquel día en cuanto la *Chivata* entró en Ribadesella y, por entre palacetes y palmeras que a mí, recuerdo, me parecieron, en vez de árboles, extraños fuegos artificiales, se dirigió hacia la playa. Era una mañana limpia, plena de luz y gaviotas, y la playa estaba llena de bañistas que tomaban el sol tumbados sobre la arena o nadaban lentamente entre los barcos. Nosotros estuvimos mirándolos un rato y, luego, temerosos, bajamos junto a ellos dispuestos a imitarlos. Yo, recuerdo, no tenía bañador (seguramente, de entre nosotros, no debía de tenerlo casi nadie: para bañarnos en el reguero, junto a los lavaderos del pozo viejo, no lo necesitábamos) y sentí mucha vergüenza al tener que quedarme en calzoncillos para poder meterme en el agua. Pero no estaba dispuesto a volver a casa sin haberme bañado en el mar, después de tan largo viaje, y, sobre todo, sin conocer el lugar donde vivían aquellos monstruos que sólo había visto en el cine, en una vieja película de esquimales, pero que, según mi madre, me habían salvado la vida cuando tenía seis años.

No los vi, aunque sí creí sentir, recuerdo, su fuerte olor a salitre y a carne tierna de algas. Los busqué entre las olas sin encontrarlos, y sin oír a lo lejos sus gritos amenazantes, pero, al regreso, en el nocturno viaje de vuelta que yo hice entero durmiendo, tumbado entre dos asientos y enrollado en una manta (la misma con que tapaban, según me dijeron luego, a los mineros accidentados), vine soñando con ellos y con sus chorros

de agua. Sueño que se prolongó durante los cuatro días que hube de pasar en cama delirando y temblando a causa de la pulmonía que me originó aquel viaje (la vergüenza que no me había impedido quedarme en calzoncillos al llegar para meterme en el agua, me había impedido, en cambio, quitármelos después para que se me secaran) y que me devuelve ahora esta fotografía en la que aún sigo en la playa, inmóvil entre unas olas que también están paradas, esperando a que el fotógrafo regrese y el tiempo que éste detuvo se vuelva a poner en marcha.

ROBINSON

Alonso Ibarrola

Una columna de humo se perfiló en el horizonte. Robinson no daba crédito a sus ojos. Diez años llevaba viviendo en aquella isla, perdida en el océano y alejada de todas las rutas marítimas. Y sin nadie que le acompañara en los largos días de soledad. Le llamaré «lunes», se repetía a sí mismo para darse valor, esperando en vano la llegada de un criado negro, como él creía que sucedía en estos casos. Mejor dicho, «martes». Dos años más tarde, pensó en llamarle «miércoles». Tres años más tarde admitió que bien podría llamarse «jueves»... hasta que la columna de humo proveniente del gran barco, que ya se divisaba en lontananza, le hizo olvidar la cuestión... Su barba era muy abundante y larga. El barco, no cabía duda, se dirigía hacia él. Se detuvo junto a la isla. Arriaron un bote y unos marineros con vigorosas y rítmicas paladas acercaron hasta la orilla a un oficial que con las bajeras del pantalón

doblades hasta la rodilla y los zapatos en la mano se introdujo en el agua, haciendo un gesto muy expresivo de encontrarla muy fría. En tres zancadas se presentó ante el náufrago, le saludó marcialmente e inquirió, mostrándole un arrugado pergamino: «¿Ha escrito usted esto?». El pergamino decía: «¡Socorro!». No, él no había escrito nada. No tenía pluma, ni papel, ni una botella, por supuesto. «Lo siento», exclamó el oficial, y girando sobre sus talones, volvió a meterse en el agua. Dio un saltito al paso de una ola minúscula y subió de nuevo al bote, ayudado por un marinero. Mientras la embarcación se alejaba presurosa, camino del navío, el oficial agitaba la mano saludando cariñosamente al forzado Robinson. No acertó a pronunciar palabra alguna... Se le trabó la lengua. Habían transcurrido demasiados años. «No es posible...», fue lo único que acertó a decir, cuando ya el barco se perdía en la raya infinita del horizonte. Pero nadie le oyó...

De cómo vino
a Rianxo una ballena

Rafael Dieste

Cuando yo era un muchachote (no quiero echar la cuenta de los años que van allá) llegó un día a Rianxo, me parece que a las diez y media de la mañana, una ballena. Algunos, para restarle mérito a nuestra villa, dicen que era una ballena muy pequeña, una cría de ballena. Habladurías, envidia, no saben lo que dicen. Yo no digo que fuese como un consistorio flotando por la ría, no soy tan embustero; pero la eslora de un patache puede muy bien que la tuviese, y aquí entre vosotros hay otros que la vieron y pueden ratificarlo. Y los que no la vieron que cierren la boca.

No sería fácil saber quién fue el primero en avistarla. Me veo corriendo en grupo con otros muchachos, todos gritando, camino de las alturas de Tanxil, y allí en la misma cresta del barranco he ahí que estaban ya los carabineros disparando sus escopetas. La verdad sea

dicha, nosotros no le teníamos mucho respeto a estos buenos hombres. En un tiempo, cuando no los había, la gente murmuraba:

–Estamos aquí en el fin del mundo. Nadie nos hace caso. Una villa como Rianxo debería tener carabineros, si hubiese quien se preocupase de nosotros.

Finalmente esa mejora se consiguió, quizá en el momento en que sobraban. Sea como fuere, el caso es que los hubo, y el embarcadero, con uno de aquellos apuestos uniformes en la punta, en la hora en que venían las lanchas motoras del mercado, era como un embarcadero nuevo con una farola nueva, aunque uno hubiese de acertar con cuidado dónde se ponían los pies. Al comienzo hacían muy bien su papel, y la fantasía de los muchachos se llenó de cuentos de contrabandistas. Pero después, no siendo en las procesiones, cuando se vestían de gala e iban tan serios con la mano enguantada de blanco en el pecho, marcando el paso detrás de las andas, no se les veía más que de charla en las zapaterías, buscando remedio a su aburrimiento; no siendo el cabo, que se aburría más finamente alternando con la gente de la botica. Parecían carabineros retirados. Y alguna persona de ideas avanzadas llegó a decir que los de ese cuerpo, aunque menos tiesos y hoscos que los civiles, eran unos vagabundos, y que no valía la pena mantenerlos por unos macillos más o menos que pudieran pasar de contrabando.

Sí, pero aquel día... Fue como en el caso de estos tenores que hace mucho tiempo que no cantan, y el día

que cantan la iglesia se torna catedral. Sí, el que sabe, sabe, el que canta, canta, un tenor siempre es un tenor. Y cualquiera de aquellos cuatro veteranos apuntando sin prisa, con estilo, al modo militar –no como el sastre o el notario cuando andaban en las espesuras del monte espantando liebres–, mostraba bien a la vista de los allí presentes lo que es tener escuela.

Algunos muchachos tuvieron el alto honor de recoger los casquillos para silbar con ellos y decirles a los otros que no habían estado allí:

–¿Lo veis? ¡Es de fusil!

Ahora, lo que no sé de cierto es si le dieron o no a la ballena. Supongo que sí, pero ella no debió de sentir siquiera cosquillas.

Los entendidos dicen que venía perdida, que entró por la boca de la ría, como en una jaula, y que de tanto dar vueltas sin hallar la salida, fue a dar allí sin alientos, permaneció un instante, y como eran las mareas vivas y mucho su calado, al retirarse el mar, varó. Yo no entiendo mucho, pero pienso que debió de ser así.

En esto llegaron las lanchas, todas a remo para no tener que depender del viento en la punta de Fincheira, y se situaron alrededor del lomo de la ballena, donde desfallecían las olas como en las orillas de una isla.

Hubo mucho bullicio entre los marineros sobre lo que convenía. Allí estaba también el contramaestre, y para parecer más entendido movía la cabeza, sonreía y alzaba la vista, pero no pasaba de decir, sin comprometer consejo:

–Así no haces nada, hombre. Estás perdiendo el tiempo. Haced el trabajo con orden.

Con orden, está muy bien. Lo que pasaba era que no se sabía qué era lo que había que hacer con orden. Le echaron un rizón, pero resbalaba y no hacía presa. Empujaron con los remos, no sé muy bien para qué, y reculaban las lanchas, desatracando de ella como de un transatlántico. Se hicieron complicadas maniobras, con muchos gritos y juramentos, para pasarle un cabo alrededor, pero alguien dijo que aquello era como querer llevar preso con un hilo a Ochenta y nueve (el Hércules de la villa), y tenía razón. Las muchachas que iban llegando al arenal se hartaban de reír y de jugar con la espuma.

Yo estaba en una de esas lanchas que llaman *burriños*. No sé si fui a allí en una gamela o descalzándome y pasando por algún bote medio varado que me sirviese de puente. Lo cierto es que estuve en el lugar más arriesgado, como pronto veréis, porque al patrón del *burro* le entró la manía de matar a la ballena con un hacha que sacó de debajo de la tilla, y comenzó a herirla en la cola con toda su fuerza. Puede que no fuese tan descaminado en su pensamiento como nos parecía a todos. Nunca pensé en esto, y ahora me doy cuenta de que quizá quería averiarla en el timón. La piel era dura, pero finalmente las olas por aquel lado se iban volviendo encarnadas, y la ballena dio algunas muestras de no sentirse muy agasajada con el tratamiento.

–¿Con que te duele, eh?...

De repente (yo creo que estaría subiendo el mar, y que la ballena encontró huelgo debajo para removerse), de repente pensé que nos ahogábamos todos, sumergidos en el oleaje de su maniobra. Y ahora por mucho que corran las palabras no llegan a tiempo, porque estaban todas las lanchas moviéndose, cada uno a su modo, y no se había enderezado todavía el *burriño* después de coger agua por un lado, cuando mis ojos, siguiendo el impulso de un estruendo fugitivo que hendía las olas, vieron a lo lejos el surtidor brillante con que la ballena saludaba a los ámbitos de su libertad, de su grande mar.

Ahora para terminar el cuento os diré que no encontró las puertas de su grande mar, y fue a morir a Vilanova. Después vi su esqueleto, enorme y sanguinolento, con el que bien se podría hacer un buen navío. Y vi las cubas en que fueron echando su espeso aceite, y la ceniza de las hogueras en que se había derretido... Y sentí, una milla antes de llegar al lugar de su sacrificio, el olor escalofriante de sus restos. En mi entusiasmo de muchacho ninguna de esas cosas estorba a las demás. Del recuerdo de todas ellas, y como presidiéndolo, se podría levantar un firme mástil, con un largo gallardete tremolando en lo alto, un revuelto ulular de trompetas, un terrible espantajo haciendo señas a las lejanas olas centelleantes... Pero, de improviso, ahora, siento solamente cómo en mi garganta se insinúa este lamento: ¡Criatura!

Se discutió después, por algún tiempo, sobre si era justo que Vilanova fuese dueña de la ballena sin dar par-

te a Rianxo. Pero yo os digo que nosotros tuvimos la parte más hermosa.

El maestro, que fue uno de los más juiciosos y mejores que tuvo nuestro pueblo, escribió una «rápida» en un periódico de Villagarcía diciendo que los de Rianxo habíamos perdido la ballena por falta de cultura y de unión. Será cierto. Yo no sé qué pensar. La unión siempre es buena. Sin embargo, los de Vilanova no tenían más unión, y pienso que tampoco más cultura que nosotros, y, de todas las maneras, ya veis que obtuvieron el premio. Pues bien, que les aproveche.

EL AHOGADO
MÁS HERMOSO DEL MUNDO

Gabriel García Márquez

Los primeros niños que vieron el promontorio oscuro y sigiloso que se acercaba por el mar, se hicieron la ilusión de que era un barco enemigo. Después vieron que no llevaba banderas ni arboladura, y pensaron que fuera una ballena. Pero cuando quedó varado en la playa le quitaron los matorrales de sargazos, los filamentos de medusas y los restos de cardúmenes y naufragios que llevaba encima, y sólo entonces descubrieron que era un ahogado.

Habían jugado con él toda la tarde, enterrándolo y desenterrándolo en la arena, cuando alguien los vio por casualidad y dio la voz de alarma en el pueblo. Los hombres que lo cargaron hasta la casa más próxima notaron que pesaba más que todos los muertos conocidos, casi tanto como un caballo, y se dijeron que tal vez había estado demasiado tiempo a la deriva y el agua se le había metido dentro de los huesos. Cuando lo ten-

dieron en el suelo vieron que había sido mucho más grande que todos los hombres, pues apenas si cabía en la casa, pero pensaron que tal vez la facultad de seguir creciendo después de la muerte estaba en la naturaleza de ciertos ahogados. Tenía el olor del mar, y sólo la forma permitía suponer que era el cadáver de un ser humano, porque su piel estaba revestida de una coraza de rémora y de lodo.

No tuvieron que limpiarle la cara para saber que era un muerto ajeno. El pueblo tenía apenas unas veinte casas de tablas, con patios de piedras sin flores, desperdigadas en el extremo de un cabo desértico. La tierra era tan escasa, que las madres andaban siempre con el temor de que el viento se llevara a los niños, y a los muertos que les iban causando los años tenían que tirarlos en los acantilados. Pero el mar era manso y pródigo, y todos los hombres cabían en siete botes. Así que cuando se encontraron el ahogado les bastó con mirarse los unos a los otros para darse cuenta de que estaban completos.

Aquella noche no salieron a trabajar en el mar. Mientras los hombres averiguaban si no faltaba alguien en los pueblos vecinos, las mujeres se quedaron cuidando al ahogado. Le quitaron el lodo con tapones de esparto, le desenredaron del cabello los abrojos submarinos y le rasparon la rémora con fierros de desescamar pescados. A medida que lo hacían, notaron que su vegetación era de océanos remotos y de aguas profundas, y que sus ropas

208

estaban en piltrafas, como si hubiera navegado por entre
laberintos de corales. Notaron también que sobrellevaba
la muerte con altivez, pues no tenía el semblante solitario de los otros ahogados del mar, ni tampoco la catadu-
ra sórdida y menesterosa de los ahogados fluviales. Pero
solamente cuando acabaron de limpiarlo tuvieron conciencia de la clase de hombre que era, y entonces se quedaron sin aliento. No sólo era el más alto, el más fuerte,
el más viril y el mejor armado que habían visto jamás,
sino que todavía cuando lo estaban viendo no les cabía
en la imaginación.

No encontraron en el pueblo una cama bastante
grande para tenderlo ni una mesa bastante sólida para
velarlo. No le vinieron los pantalones de fiesta de los
hombres más altos, ni las camisas dominicales de los más
corpulentos, ni los zapatos del mejor plantado. Fascina-
das por su desproporción y su hermosura, las mujeres
decidieron entonces hacerle unos pantalones con un
pedazo de vela cangreja, y una camisa de bramante de
novia, para que pudiera continuar su muerte con dignidad. Mientras cosían sentadas en círculo, contemplando
el cadáver entre puntada y puntada, les parecía que el
viento no había sido nunca tan tenaz ni el Caribe había
estado nunca tan ansioso como aquella noche, y suponían
que esos cambios tenían algo que ver con el muerto.
Pensaban que si aquel hombre magnífico hubiera vivido en el pueblo, su casa habría tenido las puertas más
anchas, el techo más alto y el piso más firme, y el basti-

dor de su cama habría sido de cuadernas maestras con pernos de hierro, y su mujer habría sido la más feliz. Pensaban que habría tenido tanta autoridad que hubiera sacado los peces del mar con sólo llamarlos por sus nombres, y habría puesto tanto empeño en el trabajo que hubiera hecho brotar manantiales de entre las piedras más áridas y hubiera podido sembrar flores en los acantilados. Lo compararon en secreto con sus propios hombres, pensando que no serían capaces de hacer en toda una vida lo que aquél era capaz de hacer en una noche, y terminaron por repudiarlos en el fondo de sus corazones como los seres más escuálidos y mezquinos de la tierra. Andaban extraviadas por esos dédalos de fantasía, cuando la más vieja de las mujeres, que por ser la más vieja había contemplado al ahogado con menos pasión que compasión, suspiró:

–Tiene cara de llamarse Esteban.

Era verdad. A la mayoría le bastó con mirarlo otra vez para comprender que no podía tener otro nombre. Las más porfiadas, que eran las más jóvenes, se mantuvieron con la ilusión de que al ponerle la ropa, tendido entre flores y con unos zapatos de charol, pudiera llamarse Lautaro. Pero fue una ilusión vana. El lienzo resultó escaso, los pantalones mal cortados y peor cosidos le quedaron estrechos, y las fuerzas ocultas de su corazón hacían saltar los botones de la camisa. Después de la media noche se adelgazaron los silbidos del viento y el mar cayó en el sopor del miércoles. El silencio

acabó con las últimas dudas: era Esteban. Las mujeres
que lo habían vestido, las que lo habían peinado, las
que le habían cortado las uñas y raspado la barba no
pudieron reprimir un estremecimiento de compasión
cuando tuvieron que resignarse a dejarlo tirado por los
suelos. Fue entonces cuando comprendieron cuánto
debió haber sido de infeliz con aquel cuerpo descomu-
nal, si hasta después de muerto le estorbaba. Lo vieron
condenado en vida a pasar de medio lado por las puertas, a descalabrarse con los travesaños, a permanecer de
pie en las visitas sin saber qué hacer con sus tiernas y
rosadas manos de buey de mar, mientras la dueña de
casa buscaba la silla más resistente y le suplicaba muerta de miedo siéntese aquí Esteban, hágame el favor, y él
recostado contra las paredes, sonriendo, no se preocupe señora, así estoy bien, con los talones en carne viva
y las espaldas escaldadas de tanto repetir lo mismo en
todas las visitas, no se preocupe señora, así estoy bien,
sólo para no pasar vergüenza de desbaratar la silla, y
acaso sin haber sabido nunca que quienes le decían no
te vayas Esteban, espérate siquiera hasta que hierva el
café, eran los mismos que después susurraban ya se fue
el bobo grande, qué bueno, ya se fue el tonto hermoso.
Esto pensaban las mujeres frente al cadáver un poco
antes del amanecer. Más tarde, cuando le taparon la
cara con un pañuelo para que no le molestara la luz, lo
vieron tan muerto para siempre, tan indefenso, tan
parecido a sus hombres, que se les abrieron las prime-

ras grietas de lágrimas en el corazón. Fue una de las más jóvenes la que empezó a sollozar. Las otras, alentándose entre sí, pasaron de los suspiros a los lamentos, y mientras más sollozaban más deseos sentían de llorar, porque el ahogado se les iba volviendo cada vez más Esteban, hasta que lo lloraron tanto que fue el hombre más desvalido de la tierra, el más manso y el más servicial, el pobre Esteban. Así que cuando los hombres volvieron con la noticia de que el ahogado no era tampoco de los pueblos vecinos, ellas sintieron un vacío de júbilo entre las lágrimas.

–¡Bendito sea Dios –suspiraron–: es nuestro!

Los hombres creyeron que aquellos aspavientos no eran más que frivolidades de mujer. Cansados de las tortuosas averiguaciones de la noche, lo único que querían era quitarse de una vez el estorbo del intruso antes de que prendiera el sol bravo de aquel día árido y sin viento. Improvisaron unas angarillas con restos de trinquetes y botavaras, y las amarraron con carlingas de altura, para que resistieran el peso del cuerpo hasta los acantilados. Quisieron encadenarle a los tobillos un ancla de buque mercante para que fondeara sin tropiezos en los mares más profundos donde los peces son ciegos y los buzos se mueren de nostalgia, de manera que las malas corrientes no fueran a devolverlo a la orilla, como había sucedido con otros cuerpos. Pero mientras más se apresuraban, más cosas se les ocurrían a las mujeres para perder el tiempo. Andaban como gallinas

asustadas picoteando amuletos de mar en los arcones,
unas estorbando aquí porque querían ponerle al ahogado los escapularios del buen viento, otras estorbando
allá para abrocharle una pulsera de orientación, y al
cabo de tanto quítate de ahí mujer, ponte donde no
estorbes, mira que casi me haces caer sobre el difunto,
a los hombres se les subieron al hígado las suspicacias y
empezaron a rezongar que con qué objeto tanta ferre-
tería de altar mayor para un forastero, si por muchos
estoperoles y calderetas que llevara encima se lo iban a
masticar los tiburones, pero ellas seguían tripotando
sus reliquias de pacotilla, llevando y trayendo, tropezando, mientras se les iba en suspiros lo que no se les
iba en lágrimas, así que los hombres terminaron por
despotricar que de cuándo acá semejante alboroto por
un muerto al garete, un ahogado de nadie, un fiambre
de mierda. Una de las mujeres, mortificada por tanta
insolencia, le quitó entonces al cadáver el pañuelo de la
cara, y también los hombres se quedaron sin aliento.

Era Esteban. No hubo que repetirlo para que lo
reconocieran. Si les hubieran dicho *sir* Walter Raleigh,
quizás, hasta ellos se habrían impresionado con su acen-
to de gringo, con su guacamaya en el hombro, con su
arcabuz de matar caníbales, pero Esteban solamente
podía ser uno en el mundo, y allí estaba tirado como un
sábalo, sin botines, con unos pantalones de sietemesino
y esas uñas rocallosas que sólo podían cortarse a cuchillo. Bastó con que le quitaran el pañuelo de la cara para

darse cuenta de que estaba avergonzado, de que no tenía
la culpa de ser tan grande, ni tan pesado ni tan hermoso, y si hubiera sabido que aquello iba a suceder habría
buscado un lugar más discreto para ahogarse, en serio,
me hubiera amarrado yo mismo un áncora de galón en
el cuello y hubiera trastabillado como quien no quiere
la cosa en los acantilados, para no andar ahora estorbando con este muerto de miércoles, como ustedes
dicen, para no molestar a nadie con esta porquería de
fiambre que no tiene nada que ver conmigo. Había tanta
verdad en su modo de estar, que hasta los hombres más
suspicaces, los que sentían amargas las minuciosas noches
del mar temiendo que sus mujeres se cansaran de soñar
con ellos para soñar con los ahogados, hasta ésos, y otros
más duros, se estremecieron en los tuétanos con la sin-
ceridad de Esteban.

Fue así como le hicieron los funerales más espléndi-
dos que podían concebirse para un ahogado expósito.
Algunas mujeres que habían ido a buscar flores en los
pueblos vecinos regresaron con otras que no creían lo
que les contaban, y éstas se fueron por más flores cuando vieron al muerto, y llevaron más y más, hasta que
hubo tantas flores y tanta gente que apenas si se podía
caminar. A última hora les dolió devolverlo huérfano a
las aguas, y le eligieron un padre y una madre entre los
mejores, y otros se le hicieron hermanos, tíos y primos,
así que a través de él todos los habitantes del pueblo terminaron por ser parientes entre sí. Algunos marineros

que oyeron el llanto a distancia perdieron la certeza del rumbo, y se supo de uno que se hizo amarrar al palo mayor, recordando antiguas fábulas de sirenas. Mientras se disputaban el privilegio de llevarlo en hombros por la pendiente escarpada de los acantilados, hombres y mujeres tuvieron conciencia por primera vez de la desolación de sus calles, la aridez de sus patios, la estrechez de sus sueños, frente al esplendor y la hermosura de su ahogado. Lo soltaron sin ancla, para que volviera si quería, y cuando lo quisiera, y todos retuvieron el aliento durante la fracción de siglos que demoró la caída del cuerpo hasta el abismo. No tuvieron necesidad de mirarse los unos a los otros para darse cuenta de que ya no estaban completos, ni volverían a estarlo jamás. Pero también sabían que todo sería diferente desde entonces, que sus casas iban a tener las puertas más anchas, los techos más altos, los pisos más firmes, para que el recuerdo de Esteban pudiera andar por todas partes sin tropezar con los travesaños, y que nadie se atreviera a susurrar en el futuro ya murió el bobo grande, qué lástima, ya murió el tonto hermoso, porque ellos iban a pintar las fachadas de colores alegres para eternizar la memoria de Esteban, y se iban a romper el espinazo excavando manantiales en las piedras y sembrando flores en los acantilados, para que los amaneceres de los años venturos los pasajeros de los grandes barcos despertaran sofocados por un olor de jardines en altamar, y el capitán tuviera que bajar de su alcázar con su uni-

forme de gala, con su astrolabio, su estrella polar y su ristra de medallas de guerra, y señalando el promontorio de rosas en el horizonte del Caribe dijera en catorce idiomas, miren allá, donde el viento es ahora tan manso que se queda a dormir debajo de las camas, allá, donde el sol brilla tanto que no saben hacia dónde girar los girasoles, sí, allí, es el pueblo de Esteban.

Fuentes

Naves que parten

«Esbjerg, en la costa», Juan Carlos Onetti, de *Cuentos completos*, Madrid, Alfaguara, 1993.

«Abril es el mes más cruel», Guillermo Cabrera Infante, de Rosa Mª Pereda, *Cabrera Infante*, Madrid, Edaf, 1979.

«Isla en Babia», Laura Freixas, de *El asesino en la muñeca*, Barcelona, Anagrama, 1988.

«La existencia del mar», Juan Antonio Masoliver Ródenas, de *Las sombras del triángulo*, Barcelona, Anagrama, 1996.

«Fátima de los naufragios», Lourdes Ortiz, de *Fátima de los naufragios*, Barcelona, Planeta, 1998.

«Entre el cielo y el mar», Ignacio Aldecoa, de *Cuentos completos*, Alianza, Madrid, 1973.

«Mediterráneo», José Luis Sampedro, de *Mar de fondo*, Barcelona, Ediciones Destino, 1992.

«Sobre el piélago», Rosa Chacel, de *Sobre el piélago*, Buenos Aires, Imán, 1952; Barcelona, Seix Barral, 1971.

CALMA DE MAR

«Dama de mar», Adriano González León, de *Todos los cuentos más uno*, Madrid, Alfaguara, 1998.

«En el mar», Luis Mateo Díez, de *Los males menores*, Madrid, Alfaguara, 1993.

«Una partida con el irlandés», Manuel Rivas, de *El secreto de la tierra*, Madrid, Alfaguara, 1997.

«Los frutos del mar», José María Merino, de *50 cuentos y una fábula*, Madrid, Alfaguara, 1997.

«Noctilucas», Enrique Anderson Imbert, de *El leve Pedro*, Madrid, Alianza, 1976.

BORRASCA

«Literatura», Julio Torri, de *Tres libros*, México, FCE, 1964.

«Mar afuera», Julio Ramón Ribeyro, de Cuentos completos, Madrid, Alfaguara, 1994.

«El hombre y los peces», Rodrigo Moya, de *La jornada semanal*, 14 marzo 1999.

«El témpano de Kanasaka», Francisco Coloane, de *Sus mejores cuentos*, Santiago de Chile, Planeta, 1998.

«Náufragos», Cristina Peri Rossi, de *Cosmoagonías*, Barcelona, Editorial Juventud, 1994.

«El gaviero», Antonio Menchaca, de *Amor siempre asediado y otros relatos,* Madrid, Espasa-Calpe, 1989.

Naves que llegan

«Mi Cristina», Mercé Rodoreda, de Mi Cristina y otros cuentos, Madrid, Alianza, 1982.

«El mar», Carlos Edmundo de Ory, de Merino, J. Mª. [sel.], *Cien años de cuentos (1898-1998),* Madrid, Alfaguara, 1998.

«Carne de ballena», Julio Llamazares, de *En mitad en ninguna parte,* Madrid, Barcelona, Seix-Barral, 1994.

«Robinson», Alonso Ibarrola, de *Antología de humor, 1961-1991,* Madrid, Fundamentos, 1994.

«De cómo vino a Rianxo una ballena», Rafael Dieste, de *De los archivos del trasgo,* Madrid, Austral, 1989.

«El ahogado más hermoso del mundo», Gabriel García Márquez, de *Todos los cuentos,* Bogotá, La oveja negra, 1986.

Índice

Prólogo, José María Merino 5

Naves que parten

Esbjerg, en la costa, Juan Carlos Onetti 13
Abril es el mes más cruel, Guillermo Cabrera Infante. 25
Isla en Babia, Laura Freixas 31
La existencia del mar,
Juan Antonio Masoliver Ródenas 39
Fátima de los naufragios, Lourdes Ortiz 51
Entre el cielo y el mar, Ignacio Aldecoa 67
Mediterráneo, José Luis Sampedro 77
Sobre el piélago, Rosa Chacel 87

Mar en calma

Dama de mar, Adriano González León 105
En el mar, Luis Mateo Díez 109

Una partida con el irlandés, Manuel Rivas. 111

Los frutos del mar, José María Merino. 115

Noctilucas, Enrique Anderson Imbert. 123

BORRASCA

Literatura, Julio Torri 127

Mar afuera, Julio Ramón Ribeyro. 129

El hombre y los peces, Rodrigo Moya. 141

El témpano de Kanasaka, Francisco Coloane. 147

Náufragos, Cristina Peri Rossi 161

El gaviero, Antonio Menchaca 167

NAVES QUE LLEGAN

Mi Cristina, Mercé Rodoreda 173

El mar, Carlos Edmundo de Ory 187

Carne de ballena, Julio Llamazares 193

Robinson, Alonso Ibarrola 199

De cómo vino a Rianxo una ballena, Rafael Dieste. . 201

El ahogado más hermoso del mundo,
Gabriel García Márquez. 207

FUENTES 217